INTERNET
HEROES
BRASIL

PEDRO ZAMBARDA

INTERNET HEROES BRASIL

AS EMPRESAS NACIONAIS QUE CONSTROEM UM NOVO MERCADO TRILIONÁRIO

Conheça os bastidores e as estratégias por trás do sucesso de gigantes como 99, iFood, Loggi, Peixe Urbano, TruckPad e outras empresas brasileiras de *on-line to off-line*.

Jardim Dos Livros

Copyright © 2017 by Pedro Zambarda

1ª edição – Setembro de 2017

Grafia atualizada segundo o Acordo Ortográfico da Língua Portuguesa de 1990, que entrou em vigor no Brasil em 2009

Editor e *Publisher*
Luiz Fernando Emediato

Diretora Editorial
Fernanda Emediato

Assistente Editorial
Adriana Carvalho

Capa e Diagramação
Megaarte Design

Preparação de Texto
Hugo Almeida

Revisão
Josias A. Andrade
Marcia Benjamin Oliveira

Dados Internacionais de Catalogação na Publicação (CIP)
(Câmara Brasileira do Livro, SP, Brasil)

Zambarda, Pedro
Internet heroes Brasil : as empresas nacionais que constroem um novo mercado trilionário / Pedro Zambarda ; [organização Felipe Zmoginski]. – São Paulo : Geração Editorial, 2017.

ISBN: 978-85-8130-385-7

1. Administração 2. Comércio eletrônico 3. Empreendedorismo na Internet 4. Internet 5. Internet (Rede de computador) 6. Marketing na internet – Inovações tecnológicas 7. Negociação – Brasil 8. Sucesso nos negócios – Brasil I. Zmoginski, Felipe. II. Título.

17-07121   CDD-658.4012

Índices para catálogo sistemático:
1. Empreendedorismo : Estratégia de negócios na Internet : Administração de empresas   658.4012

EMEDIATO EDITORES LTDA

Rua João Pereira, 81 – Lapa
CEP: 05074-070 – São Paulo – SP
Telefone: (+ 55 11) 3256-4444
E-mail: geracaoeditorial@geracaoeditorial.com.br
www.geracaoeditorial.com.br

Impresso no Brasil
Printed in Brazil

Índice

prefácio /// Heróis de carne e osso
. . . . 8

introdução /// O que são negócios O2O?
On-line to Off-line. *Como este mercado está gerando trilhões na China e caminha para transformar o Brasil*. 11

capítulo 1 /// Empreendedores *on-line* que florescem no Brasil
Como o O2O está em expansão no nosso país 21

capítulo 2 /// A real inovação no transporte urbano da 99Taxis
O aplicativo que está mudando a relação dos taxistas com seus clientes 31

capítulo 3 /// Reinvenção da logística da TruckPad e da Loggi
Programas que descomplicam o transporte de carga no Brasil 43

capítulo 4 /// Entrega em casa: Como a iFood renovou o *delivery*
App que tirou a falta de opções para uma boa refeição em casa 73

capítulo 5 /// O fim das filas com Ingresso.com
O programa que acelerou a sua ida ao cinema, sem burocracia 81

capítulo 6 /// Organize seu dia de beleza com a Vaniday
Como contratar diferentes serviços de salão sem sair de casa 89

capítulo 7 /// Grife sob medida digital com a Dress and Go
Roupas de alto padrão à venda pelo seu celular 115

capítulo 8 /// Diferentes serviços de casa do GetNinjas
Arrume seu lar através de um exército de trabalhadores na internet 123

capítulo 9 /// Esqueça a secretária do médico com o HelpSaúde
Tenha o atendimento ideal para se cuidar em um aplicativo 143

capítulo 10 /// A parceria do Peixe Urbano nas compras coletivas
A nova formatação do comércio on-line no Brasil em ofertas 149

capítulo 11 /// Cuide dos bichinhos de estimação com a DogHero
O hotel ideal para o seu animal doméstico através da internet 177

capítulo 12 /// Internet *Heroes* que surgiram, e os que virão
O que há de comum nas histórias destes empreendedores, incluindo bom mentoring, capital, bom controle de custos e persistência nas dificuldades . . 185

Agradecimentos. 195

*Para Sandra Regina Zambarda de Araújo.
Em memória do jornalista Paulo Nogueira
(1956-2017).*

Heróis de **carne e osso**

Há muito confete e serpentina por trás das histórias de empreendedorismo, quase sempre envoltas em um enredo que combina uma ideia genial, uma equipe criativa e muitos milhões de dólares ganhos em *funding*. Obviamente, qualquer pessoa que já tenha empreendido sabe que o caminho entre o projeto inicial e uma operação superavitária envolve muitos riscos, obstáculos e, com frequência, fracassos e recomeços.

Apesar dos superpoderes que podem ser sugeridos pelo título deste livro do jornalista Pedro Zambarda, os heróis apresentados nas próximas páginas são todos de carne e osso. Heróis que aplicaram seu talento e disposição para construir um novo segmento na economia que, na contramão da recessão que afetou o Brasil desde o fim de 2014, cresce a taxas que superam os 30% ao ano em vários segmentos.

O fator extraordinário para quem aposta em empresas de *on-line to off-line* (O2O) não é a taxa atual de expansão, mas a perspectiva de crescimento acelerado por muitos anos até que esse mercado se estabilize em torno do faturamento de R$ 1 trilhão ao ano, conforme demonstra estudo inédito feito pela Associação Brasileira de O2O. É fácil perceber o potencial de crescimento desse setor quando vemos que todos os *apps* de *delivery* de comida no Brasil, somados, representam apenas 5% do total de entregas de refeição no país. Quando falamos de logística, do envio de mercadorias de um ponto a outro por motoboys, o uso de aplicações O2O soma só 1% das viagens de motofrete em todo o país. Ou seja, há 95% e 99% do mercado *off-line*, respectivamente, a serem conquistados.

Motivos, aliás, não faltam para que consumidores corporativos e pessoas físicas troquem a contratação tradicional desses serviços pelo uso de ferramentas *on-line*. A adição de tecnologias como Big Data, geolocalização e pagamento *in app* permite um incremento exponencial de produtividade (e qualidade!) em todos esses serviços, com benefícios distribuídos a profissionais prestadores de serviços, plataformas de intermediação digital e, claro, aos consumidores.

Ao pedir um táxi por *app*, por exemplo, podemos compartilhar o roteiro da viagem com um familiar, pagar a corrida sem precisar tocar em dinheiro, denunciar maus motoristas e ter a comodidade de embarcar no local em que estivermos, sem a necessidade de caçar um carro na rua ou de ir até um ponto de táxi. Do ponto de vista dos motoristas, quem usa aplicativos para aceitar chamadas aumenta sua produtividade entre 30% e 50%. Ou seja, trabalha o mesmo número de horas, mas faz até 50% mais corridas, por ficar menos tempo parado no ponto ou rodando com o carro sem passageiro. Ao saber que são avaliados a cada viagem, os motoristas também se esforçam mais para atender melhor, agir com gentileza e satisfazer o consumidor.

Essa mesma lógica se replica à contratação de serviços de beleza, reserva de mesa em restaurantes, a cuidados com o *pet*, aluguel de roupas e quaisquer outros setores em que seja possível adicionar uma camada de tecnologia para conectar prestadores de serviços e clientes. Mais produtividade, menor custo por usuário atendido, mais faturamento e mais qualidade entregue ao consumidor.

A jornada para transformar setores *off-line* ainda carentes de eficiência em plataformas digitais produtivas e de alta qualidade, no entanto, ainda envolve muitos passos a serem cumpridos. São bem conhecidas dos empreendedores brasileiros as dificuldades em obter capital para investimento, recrutar colaboradores qualificados, lidar com leis e regulações nem sempre alinhadas com as melhores práticas de fomento à inovação e, claro, apresentar seus produtos (e vantagens) ao maior número possível de consumidores.

Foi para contribuir com esse esforço que criamos a Associação Brasileira de *On-line to Off-line*, que em pouco mais de um ano de vida mobilizou dezenas de empresas para somarmos forças por uma economia mais produtiva e por serviços de melhor qualidade. Este livro, que revela detalhes operacionais inéditos das empresas brasileiras de O2O, se presta a inspirar uma nova geração de empreendedores a criar mais e melhor. A acelerar o passo rumo ao trilionário mercado que nos espera.

Yan Di
Presidente-fundador da Associação
Brasileira de *On-line to Off-line*

O que são **negócios O2O**?

introdução

Entenda o *On-line to Off-line*. O que é este mercado? Como está gerando trilhões na expansão da China e como caminha para transformar o Brasil

"Sempre gostei do Bill Gates. Ele é um grande estrategista, que conseguiu dominar o mercado de PCs. Sempre buscou solucionar grandes problemas como, por exemplo, colocar um PC em todas as mesas do mundo e agora contribui com causas sociais importantes, como eliminar o Pólio[1] e a Malária[2]. Com ele, aprendi a enxergar grandes problemas como oportunidades. No Peixe Urbano sempre nos perguntamos como podemos melhorar a vida do nosso usuário, do nosso parceiro e do nosso colaborador. A busca contínua por solucionar diversos problemas nos ajuda a fazer uma diferença na vida das pessoas e na sociedade."

Julio Vasconcellos, fundador do Peixe Urbano, à revista *Exame*[3].

O que é empreendedorismo em 2016? E em 2017?

Quais são os negócios que estão mais adaptados com a realidade social, tecnológica e política vigente?

Numa era de economia digital, *web* e globalização, a sigla O2O ganhou um peso grande como uma tendência para o futuro das corporações dentro de um ambiente cada vez mais conectado.

Em uma explicação simples e direta, empresas e negócios O2O são prestadores de serviços na internet que atendem fora da rede. A sigla significa, do inglês, *on-line to off-line*. Do mundo digital para

---

[1] Pólio ou poliomielite é uma doença infecciosa equivalente à paralisia infantil.
[2] Doença infecciosa transmitida por um mosquito provocada por protozoários.
[3] A afirmação foi registrada em uma reportagem de 28 de outubro de 2013 e resgatada no seguinte *link*, acessado em setembro de 2016 – http://exame.abril.com.br/negocios/o-que-inspira-julio-vasconcellos-a-frente-do-peixe-urbano/

o real. Este tipo de empreendimento ganhou força em 2010, sobretudo com a expansão dos *smartphones* e o surgimento do *iPad* da Apple como representante dos *tablets* no mundo todo.

Nos Estados Unidos, o *e-commerce*[4] ganhou força nos celulares, bem como as aplicações bancárias e os programas de pagamento móvel por cartão de crédito e QR *Code*[5]. Na China, que expandiu com as *commodities* na mesma época, o O2O se consolidou com a industrialização de um país antigamente fechado e dominado pelo Partido Comunista. Cada vez mais aberta às empresas no exterior, a pátria dos chineses recebeu uma enxurrada de aplicativos internacionais.

Isso contribuiu para o desenvolvimento de empresas como a Xiaomi, que desenvolveu *smartphones* para venda global. A massificação desse tipo de tecnologia estimulou a popularização dos aplicativos móveis com preços que variam entre US$ 0,99 e US$ 15. As vendas em território chinês cresceram tanto que o *on-line to off-line* se tornou um mercado de sucesso sem nenhuma grande reversão à vista.

Em janeiro de 2016, este segmento gerou dinheiro real na casa de 3,8 trilhões de iuanes, algo estimado em US$ 578 bilhões. Gigantes do *e-commerce* como o grupo Alibaba[6], do bilionário Jack Ma, entraram na onda O2O e se deram bem com a expansão da internet chinesa.

---

4 Expressão em inglês para "comércio eletrônico".
5 Códigos de leitura que puxam dados da rede *on-line*. São lidos pelas câmeras dos *smartphones*.
6 A empresa surgiu em 1999, na época da "bolha da internet", quando as empresas *on-line* valiam mais do que produziam.

O POTENCIAL DESTE MODELO NO BRASIL

No ano de 2014, a pesquisa TIC Domicílios[7] do ano anterior apontou que o número de usuários de internet no Brasil passou metade da população do país, em 85,9 milhões de pessoas. O levantamento é do Comitê Gestor da Internet (CGI.br)[8], uma entidade multissetorial com participação do governo, sociedade civil e empresas *on-line*.

O modelo O2O se encaixa num contexto maior dentro do nosso país. É importante, neste contexto, ver os grandes números.

Ao falar de *e-commerce*, o Brasil em 2015 rendeu US$ 460 milhões em receitas segundo o eMarketer[9], percentual equivalente a 3,8% das vendas totais no varejo nacional. Na China, as vendas *on-line* são equivalentes a 5% desse mesmo mercado. A mesma instituição de pesquisa estima que, em 2018, os valores chegarão a US$ 545 milhões, próximo dos 5% que os chineses têm hoje.

O *e-commerce* engloba diferentes modalidades de comercialização *on-line*, incluindo os negócios O2O.

Mesmo numa recessão econômica grave durante e após o governo Dilma Rousseff, o país não dá sinais de que deixará de crescer no meio digital. O segmento que mais cresce em acesso à conexão é justamente o setor dos celulares. Existe o caso da empresa Positivo que lançou, em 2015, um *smartphone* nacional chamado Quantum que é *top* de linha com custo menor do que R$ 1 mil. Aparelhos da marca Samsung, que chegaram a alcançar sessenta modelos diferentes por

---

7 TIC Domicílios 2013.
8 A pesquisa foi realizada por uma divisão do CGI.br chamada CETIC.br. Centro de Estudos sobre as Tecnologias da Informação e da Comunicação.
9 Segundo pesquisa no *site*, acessado no dia 28 de agosto de 2016 – http://www.emarketer.com/Article/Brazil-Ranks-No-10-Retail-Ecommerce-Sales-Worldwide/1011804

ano, colocaram *gadgets* móveis multimídia nas mãos de cidadãos pobres e da ascendente classe C brasileira.

Mesmo com obstáculos na infraestrutura de rede, ainda muito concentrada nas regiões Sudeste e Sul, *startups* como 99taxis, Peixe Urbano, Loggi, Apontador e muitas outras popularizaram o O2O no Brasil.

A própria Baidu, gigante de buscas na China desde os anos 2000[10], decidiu iniciar suas operações em nosso país em 2014.

Todas essas empresas formaram a Associação Brasileira de *On-line to Off-line* (ABO2O). O grupo de companhias aproximou o mercado nacional da experiência bem-sucedida na China.

Eles estimam que este segmento vai gerar R$ 1 trilhão no Brasil. Até 2020.

O QUE É O O2O NA PRÁTICA

O Baidu é o segundo *site* de buscas mais famoso no mundo. A primeira coisa que todo mundo deveria entender é justamente como ele funciona no país mais populoso do mundo, a China, que tem quase 1,388 bilhão de pessoas.

O plano de negócios, comparado com o do Google, é estrategicamente voltado ao ganho com monetização, mas guarda significativas diferenças. Vai além do algoritmo de buscas e vai além dos dados *on-line*.

Enquanto os principais serviços da gigante de buscas ficam na esfera *on-line*, o Baidu efetivamente atua no segmento O2O e traz este tipo de serviço para o mundo real. Por isso mesmo, ele é um bom exemplo de como os negócios neste setor realmente funcionam.

---

10 Perto do estouro da "bolha da internet".

A vantagem da ferramenta da corporação chinesa é, quando alguém pesquisar sobre "música" ou *"videogames"*, permitir fazer compras pelo próprio *site* de busca. Sem intermediadores, como acontece no Google, o Baidu tenta garantir que você receberá o produto novo em sua casa no final do dia. A ideia é realmente dar o serviço completo para um serviço que supostamente é gratuito, e não simplesmente oferecer propaganda tradicional em *banners* e *pop-ups* como é mais praticado no ocidente.

Efetivamente, modelos nesse naipe trazem o mundo real para perto dos principais benefícios do meio digital. A qualquer momento você pode solicitar serviços, e ele chega à porta da sua casa para você desfrutar assim que a entrega for possível.

Do nome O2O, você pode falar em "On2Off"[11] embora o contrário "Off2On" também se enquadre. Neste segmento, tudo é uma coisa só. O negócio passa a refletir o mundo em que vivemos. Globalizados desde os anos 1990, não faz sentido separar um mundo em virtual e real. Os negócios podem ocorrer entre os dois meios. A integração potencializa a criação de novas iniciativas.

Justamente por essa transformação, surgem questões que suscitam novos problemas num meio que funciona *on-line*.

Alguns especialistas do setor[12] atribuem o sucesso do O2O à mão de obra barata, fora a centralização em empresas digitais chinesas como Alibaba, Tencent e Baidu. Por isso, surgem questões legais que tornam a Uber polêmica em relação aos táxis. É a chamada economia do compartilhamento que barateia os processos que tradicionalmente aconteciam no mundo *off-line*. E tudo tem um custo reduzido, porque os *apps* custam poucos dólares, mas atingem milhões de pessoas mais facilmente.

---

11 Lê-se *on-line to off-line*. E vice-versa.
12 Abordaremos os estudos sobre o setor mais à frente neste livro.

É a tecnologia atuando para aperfeiçoar uma prática que já existia.

Vamos pensar num problema tradicional para exemplificar porque este mercado novo é tão importante para a otimização dos negócios.

Para quem está com sua loja virtual decadente e com poucas visitas, prestes a fechar, é importante investir no varejo físico. Mas ele deve estar integrado com seu estoque e não deve se colocar como um investimento separado. Só dessa forma um negócio pode auxiliar outro. E apostando no formato *on-line*, você pode fazer a divulgação da iniciativa por meio do Facebook ou do Twitter, grandes redes sociais, para chamar atenção para novas ofertas. Também não se devem descartar redes focadas no *e-commerce*.

Assim, as lojas físicas dificilmente vão perder oportunidades para fechar negócio em comparação com as virtuais. O caso contrário também é muito evidente. Negócios *off-line* que quase não investem na rede digital podem encontrar sua oportunidade de recuperação por meio da internet. Com custo baixo, você pode montar um *site* com um gestor próprio e ter outro profissional ocupado com a divulgação da sua iniciativa.

Uma coisa que você precisa ter em mente: clientes que querem fazer uma grande compra – uma geladeira ou TV, por exemplo – raramente vão a um *shopping*, se buscam um exemplar exclusivo. A grande varejista precisa oferecer uma enorme variedade de produtos naquele segmento para tirar o comprador de casa.

A possibilidade está reduzindo ainda mais no caso de lojas de rua.

Os *sites* e os aplicativos encurtam caminho. O consumidor vai até a loja virtual e conhece as opções. Vê os detalhes, escolhe o modelo e solicita a compra em suas diversas formas de pagamento – cartão de crédito, débito, boleto, entre outros métodos.

O mesmo esquema vale tanto para quem vai comprar sabendo o que quer quanto para aqueles que descobrem na internet os produtos desejados. As vitrines dos grandes *shoppings* desaparecem para dar espaço aos recursos de busca do Google. Em vez das caminhadas cansativas, a pessoa dedica algumas horas navegando por *sites* de comércio eletrônico.

Isso funciona tão bem que o *The New York Times* chama a forma de *e-commerce* formalizada neste método de "*showrooming*"[13]. Desta forma, o consumidor vê tudo na internet, mas recebe numa loja física em sua sede ou pelo sistema de entregas. A realidade é que não se "enxerga" o produto de fato, mas você consegue ter contato com ele de uma maneira mais rápida e direta por meio de um negócio integrado. Por isso, é fundamental nos empreendimentos O2O um *delivery*[14] eficiente.

Algumas pessoas podem estranhar esse mundo novo, mas diferentes gerações devem se adaptar a esse novo contexto. Cada pessoa vai se apropriar da expansão do comércio eletrônico de diferentes formas. Porque as pessoas têm modos de vida diferentes.

No entanto, assim como o *smartphone*, o *e-commerce* do *on-line* para o *off-line* estará cada vez mais em nossas mãos para sofrer as nossas adaptações. E as empresas precisam se adiantar para dar conta dos diferentes perfis de consumidores.

Quando todos estiverem conectados, todas essas explicações que dei serão desnecessárias.

A mudança parece clara para você? E você está pronto?

---

13 Do inglês, em tradução literal, é local de exibição de produtos. O equivalente a *showroom*.
14 Termo em inglês: sistema de entregas.

O MOTIVO POR TRÁS DESTAS PÁGINAS

Além de explicar o que é O2O, existe uma forma que escolhi para contar como isso funciona no mundo e funcionará no Brasil.

É por isso que decidi escrever este livro para catalogar onze grandes histórias.

Internet Heroes Brasil vai abordar onze empresas personificadas nas histórias de onze empreendedores. Muitos deles são líderes de seus mercados. Muitos deles criaram serviços que não existiam, ou aperfeiçoaram iniciativas *on-line* que não funcionavam.

Vamos então mergulhar em histórias de gente que criou negócio num formato que não existia.

Integrantes de um mercado trilionário em ascensão.

Concentre-se nos pequenos perfis biográficos das próximas páginas e prepare-se para mergulhar num mundo novo e pulsante.

Empreendedores *on-line* que **florescem no Brasil**

capítulo

1

Qual é a real situação do nosso país e como o O2O encontrou espaço para se expandir em mercados carentes. Conheça as empresas que abordaremos nas páginas deste livro.

Em 2011, o governo federal sob o comando da presidente Dilma Rousseff trouxe a Lei do Bem[1] para isentar de alguns impostos *tablets* e *smartphones* que fossem produzidos no Brasil. Até aquele momento, os celulares com acesso à internet e recursos multimídia não se encontravam numa faixa de preço entre R$ 1 mil e R$ 2 mil e não estavam popularizados. A redução dos tributos e o estímulo ao consumo interno desse mercado, depois de um crescimento de 7,6% do PIB no ano anterior, financiaram o *boom* de *startups* que se especializaram em *apps*.

O Groupon[2] chegou ao nosso país juntamente com o fenômeno das "compras coletivas"[3]. Descontos de até 90% por serviços de restaurantes, passagens aéreas e outros setores estimularam muitos brasileiros a baixarem aplicativos e se acostumarem a utilizar o cartão de crédito nas lojas da Apple e do Google. O O2O se torna nascente com a popularização de celulares *top* de linha.

Os *smartphones* chegaram ao volume recorde de vendas de 54,5 milhões de unidades em 2014, de acordo com a consultoria IDC[4], para depois caírem cerca de 10% na crise econômica que atingiu a economia

---

1 A lei foi pensada até 2018, mas uma liminar na Justiça, cinco anos depois de sua instituição, foi evocada para evitar que o presidente Michel Temer a revogasse.
2 A empresa surgiu em 2006, nas mãos do empreendedor sino-americano Andrew Manson. Em fevereiro de 2016, Alibaba da China comprou 5,6% de participação da empresa, que cresce no mercado asiático.
3 Ofertas oferecidas esporadicamente via internet com descontos atraentes para o consumidor experimentar produtos que têm alto custo.
4 Informação do Tecnoblog. Acessada em 30 de agosto de 2016 – https://tecnoblog.net/193082/vendas-*smartphones-tablets*-ano-primeira-queda-brasil/

brasileira entre 2015 e 2016. A mesma instituição apontou 8,5 milhões de *tablets* comercializados em 2013, alta recorde de 153% em comparação com o ano anterior. Nos períodos posteriores, o *gadget mobile* que não é nem celular ou PC teve queda nas vendas.

Com todos esses aparelhos em circulação, algumas empresas nacionais cresceram graças a oportunidades de negócios com aplicativos. Suas histórias misturam sucessos, descobertas, fracassos e particularidades das transformações da internet nos últimos anos. Empreendedores se tornaram líderes de segmento e tiveram que se virar para entender os públicos distintos que passaram a atender.

O mercado brasileiro começou com aparelhos de qualidade mediana e teve um atraso de pelo menos três anos até o primeiro *iPhone*[5], da Apple, de fato se popularizar no país. Com o mundo *on-line* imerso, negócios se desenvolveram.

Neste capítulo você conhecerá os personagens deste livro.

99TAXIS

Fundada em 2011, a 99Taxis surgiu como uma *startup* e hoje lidera o ramo de solicitação de táxis via aplicação móvel. Dominou um mercado que ganhou competidores de peso no mesmo período de tempo e traz uma história de superação dos fundadores que tiveram que ensinar aos motoristas das capitais brasileiras a utilidade da internet e dos *apps* para o seu próprio trabalho.

A empresa teve valorização estimada em US$ 10 milhões e fez parte do plano de investimentos da Qualcomm Ventures. Gratuito, o aplicativo mostra nome, placa, modelo do veículo e permite a avaliação dos taxistas.

---

5   *Smartphone* que popularizou a tela sensível ao toque, diferente do *BlackBerry* em 2007.

O consumidor pode fazer configurações mais específicas na corrida por meio do aplicativo, o que inclui alterar rotas e avaliar quais são os motoristas mais próximos. Priorizando o bom atendimento, você pode selecionar um taxista mais bem qualificado do que outro. Acessível em poucos toques, 99Taxis aparece no topo das estatísticas da Associação Brasileira de O2O (ABO2O) divulgado pela imprensa em 22 de agosto de 2016[6].

Ele desponta na frente da concorrente nacional EasyTaxi e da internacional Uber.

TRUCKPAD

Desenvolvido em 2013, este *app* gratuito facilita o trabalho de caminhoneiros que levam grandes cargas nas estradas brasileiras. Em dois anos, chegou a 100 mil usuários e mostra aos motoristas as entregas disponíveis com os fretes.

A aplicação tornou-se inovadora ao colocar, nas mãos desses profissionais, *smartphones* e rastreadores GPS. Num país onde a malha viária é precarizada, a tecnologia é bem-vinda. Ao otimizar as entregas de produtos, a TruckPad informa os serviços possíveis por região.

Com geolocalização sincronizada com esse tipo de trabalho, o *app* também facilita na economia de combustível e tempo no deslocamento cotidiano.

---

6   Informação acessada em 30 de agosto – http://www.maxpressnet.com.br/Conteudo/2,21385,Estudo_revela_preferencias_dos_usuarios_brasileiros_que_usam_servicos_via_aplicativos,860070,2.htm

LOGGI

Se a TruckPad facilitou o trabalho de caminhoneiros, a Loggi otimizou o serviço de *motoboys*. Você solicita entregas por meio de um aplicativo gratuito e com interface acessível.

O *app* calcula o preço da entrega e o pagamento por cartão de crédito. Você não precisa ter um CNPJ ou uma empresa aberta para requisitar esse tipo de serviço. Basta ter o serviço no telefone e fazer a solicitação.

A *startup* foi criada no final de 2013 e já consegue reconhecimento. O prêmio eShow Brasil 2016 afirmou que a Loggi é a melhor empresa de logística do ano. O evento é o maior na área de *e-commerce*. A companhia também foi finalista da terceira edição do Latam Founders Awards, encontro considerado o "Oscar das pequenas empresas da América Latina".

IFOOD

A iFood foi criada em 2011 e funciona como um *delivery* para diferentes tipos de comida. Além disso, o aplicativo é gratuito e oferece serviços para 10 dos 26 estados brasileiros, oferecendo cardápios de restaurantes chineses até *fast-food*.

A empresa cresce bastante por ter investidores externos e por receber sugestões dos clientes. As pessoas que solicitam os serviços podem desistir da entrega ou mesmo refazer a operação. O *app* aceita diferentes formas de pagamento que podem ser adequadas de acordo com o estabelecimento pedido.

INGRESSO.COM

Pertencente à B2W Digital, empresa com uma década de existência, a Ingresso.com é um serviço para compra de entradas para cinema, teatro, *shows*, circo e eventos esportivos. O aplicativo é gratuito.

Na solicitação do serviço dentro do *smartphone*, você pode ver horários dos filmes a que deseja assistir e onde eles ocorrerão. Caso a atração tenha local marcado, é possível reservar sua cadeira. É um dos serviços mais requisitados entre entretenimentos distintos no Brasil.

VANIDAY

Focado em beleza, o serviço *on-line* da Vaniday chegou em abril de 2015. Ele permite a contratação de manicure, cabeleireiro, massagista e serviços mais específicos de estética, incluindo drenagem linfática, bronzeamento artificial e tratamento anticelulite.

O aplicativo gratuito oferece desconto de 15% no primeiro pedido no salão e outras promoções esporádicas. E eles não querem se manter no segmento de usuários femininos. O cliente pode contratar uma barbearia, no caso de boa parte dos homens preocupados com estética.

DRESS AND GO

Desde 2013 a Dress and Go permite que você monte o seu *look* sem ir necessariamente a uma loja. Com acesso às grandes grifes, o programa *on-line* funciona diretamente pelo seu navegador na internet.

O negócio traz milhares de vestidos no acervo e é focado no público feminino. Os serviços da aplicação são principalmente para eventos e festas.

GETNINJAS

Empresa criada em 2011, o GetNinjas é um aplicativo gratuito de serviço que oferece uma série de outros serviços. Começou numa companhia para contratar reforma de casas.

Hoje, consolidada como um empreendimento com diferentes funcionários, o *app* serve como um meio para contratar *freelancers* em muitas áreas. Você pode contratar um programador, um *designer*, um fotógrafo e vários tipos de reparadores. Eles são, de fato, os "ninjas" que podem ajudá-lo nas atividades cotidianas.

HELPSAÚDE

Desenvolvido em 2011, o *site* é uma forma de agendar consultas médicas dentro de um único espaço na internet. O serviço pode ser consultado por plano de saúde ou especialidade.

Os profissionais catalogados pelo *app* podem pagar valores especiais para que a empresa responsável promova o seu próprio trabalho. A Astella Investimentos e a Kaszek Ventures entraram com aportes para promover a iniciativa.

PEIXE URBANO

Fundada em 2010, a empresa conta com mais de 27 milhões de usuários e pioneirismo nas compras coletivas. Esta é a trajetória do Peixe Urbano.

O *site* já levou ofertas para fora do Brasil, a países como México, Argentina e Chile. Em 9 de outubro de 2014, o Peixe Urbano teve sua fatia majoritária adquirida pela Baidu, gigante chinesa de buscas.

Hoje o negócio se reposicionou como *e-commerce* diante de um mercado nacional repleto de concorrentes e de propostas agressivas.

DOGHERO

Serviço de hospedagem de cães. No entanto, o *app* funciona diferente de um hotel para os bichinhos. O programa oferece um anfitrião por meio de uma rede de pessoas dispostas a cuidar do seu animal de estimação enquanto você está viajando.

A aplicação promete assistência veterinária 24 horas por dia e pede fotos do anfitrião com seu bicho. Antes de deixar o *pet* fora de casa, você pode encontrar a pessoa responsável para acertar os detalhes do serviço solicitado.

OS FUNDOS DE INVESTIMENTO QUE EXPANDIRAM O MERCADO

Tão importante quanto as empresas retratadas neste livro são os fundos de investimento que viabilizaram os negócios. Elas atuaram na criação dos empreendimentos e na expansão deles. Por isso, antes mesmo de discutir o dinheiro que impulsionou os negócios O2O, vamos conhecer rapidamente quais são os fundos envolvidos.

Monashees é uma empresa que faz aportes financeiros variados em *startups* brasileiras. Os casos mais notórios deles são com empresas como 99, Bidu, Enjoei, GetNinjas, DogHero, JusBrasil, Madeira-Madeira e Loggi. Boa parte dos grandes destaques dos mercados O2O teve contribuições deles. É especializada em empresas em fase embrionária e foi criada em 2006[7].

---

7   Do *site* oficial da empresa, consultado em novembro de 2016 – https://www.monashees.com.br/pt/

Um dos trabalhos mais reconhecidos da Monashees na internet é o sistema *boo-box*, criado pelo brasiliense Marco Gomes, que foi adquirido depois pela FTPI[8].

Vinculada ao mercado de tecnologia, a Qualcomm Ventures trabalhou com 99, 7invensun, Airstrip, Matterport e Airpan. Parte da Qualcomm, empresa com três décadas de experiência em patentes tecnológicas, a empresa existe desde 2000. Da sua área de atuação, 33% são de bens de consumo, 28% corporativos e 11% sistemas e *hardware*[9].

De Nova York, a Tiger Global tem 185 investimentos em 111 empresas. Levantou fundos orçados em US$ 9,24 bilhões. A empresa foi fundada em 13 de abril de 2001 e faz parte do time de empreendedores externos que acreditaram nos negócios brasileiros[10].

Além dos fundos, pessoas físicas e executivos que acreditaram em pequenos negócios florescentes colocaram seu dinheiro em investimentos.

OS NEGÓCIOS QUE FLORESCERAM

Todas as empresas mencionadas nestas páginas trazem histórias de pessoas que fundaram seus negócios, de investidores que apostaram no seu crescimento, além dos serviços que mudaram um número significativo de pessoas. Elas criaram mercado.

O desabrochar dessas iniciativas criou empreendimentos líderes

---

8   Reportagem de Luiza Dalmazo na revista *Exame* de 2012 – http://exame.abril.com.br/revista-exame/capital-com-jeito-americano/
9   Dado consultado em novembro de 2016, no *site* oficial: https://www.qualcommventures.com/how-we-help
10 Informação do CrunchBase do TechCrunch. No *link* https://www.crunchbase.com/organization/tiger-global#/entity

em seus nichos. Dentro das próprias empresas ocorreram transformações que alteraram o curso dos acontecimentos.

Mas, para entender como tudo isso se desenvolveu, é necessário ir para as histórias das pessoas que fizeram o que existe em cada uma delas.

A real inovação no transporte urbano da **99Taxis**

Renato Freitas, diretor de tecnologia da 99

capítulo 2

A trajetória de um empreendimento que entregou smartphones nas mãos dos taxistas e mudou para sempre a forma como as pessoas interagem com transporte privado em São Paulo e no Brasil.

Um dos principais mercados do segmento O2O é o de transporte. Esse segmento carecia de sistemas digitais mais centralizados. A mudança começou em 2009 e é um fenômeno internacional.

Um dos pioneiros nesse tipo de modalidade *on-line to off-line* foi a Uber, que surgiu naquele ano sob o nome UberCab nas mãos de Travis Kalanick e Garrett Camp em São Francisco, nos Estados Unidos. Líder de mercado, o serviço chegou a 66 nações e 507 cidades no globo, segundo levantamento feito pela empresa em agosto de 2016.

O serviço chega a cobrar um terço dos serviços de transporte de carros convencionais e gerou protestos por seus baixos salários na Alemanha, Espanha, Dinamarca, Itália, Canadá, China e Inglaterra em 2015. Como os trabalhos não são sindicalizados, existe a polêmica do trabalho excessivo por causa de uma base reduzida de ganhos para os empregados pelo aplicativo.

No Brasil, no entanto, em 2011, empreendedores criaram uma alternativa para os serviços de táxi que conseguiu popularizar esse tipo de transporte por meio de pagamentos pelo *smartphone*. A solicitação de taxistas é feita com GPS[1], placa e nome do motorista.

Estamos falando de uma renovação no setor que surgiu com o nome de 99Taxis no nosso país.

---

1   Sigla para a expressão *Global Positioning System*, sistema digital de geolocalização utilizado na internet.

A LENDA E A REALIDADE SOBRE A 99: O "*POWER TRIO*"[2]

Quem não usa Uber, em São Paulo e no Brasil, utiliza mais um serviço fundado por três executivos no nosso país.

A história da *startup*, criada em 2012, é contagiante e traduz a filosofia "faça mais com menos", descrita no *site* oficial da companhia[3]. A empresa tem uma preocupação tanto com os clientes, o que é comum nos serviços O2O, mas também visou à melhoria da situação dos próprios motoristas em cidades que estão ficando cada vez mais engarrafadas em todo o país.

A 99 traz um pensamento de autonomia dos seus funcionários e dos próprios parceiros que tornaram o serviço mais desejado no setor dos transportes segundo reportagem do jornal *Folha de S.Paulo* com dados do seu instituto de pesquisas, o Datafolha[4]. No levantamento da publicação, 26% das pessoas consultadas preferem a empresa brasileira nesta modalidade O2O, o dobro do percentual de 2015, um ano antes.

Tamanho sucesso levanta questões: como foi o processo de fundação da 99Taxis? A lenda dos *smartphones* dados aos taxistas é real? De quem foi a ideia? Existiram resistências no processo de criação da empresa?

---

[2] *Power* trio é uma expressão do idioma inglês para bandas de *rock* formadas por apenas três integrantes a partir da década de 1960, na maioria deles multi-instrumentistas virtuosos. Eles seriam os pais do *rock* psicodélico e progressivo. Exemplos de *power* trios são grupos como Cream, The Jimi Hendrix Experience e Rush. A expressão utilizada neste texto tem sentido alegórico.
[3] A informação está no "Sobre Nós" da 99Taxis. Acessado em outubro de 2016 – http://www.99taxis.com/sobre-nos/
[4] Fonte consultada em outubro de 2016 – http://www1.folha.uol.com.br/saopaulo/2016/05/1773529-uber-e-99taxis-dividem-a-preferencia-dos-paulistanos-nas-corridas.shtml

Tal como um tridente, a 99Taxis foi fundada por três homens que se definem como *geeks*[5]. Cada um deles desenvolveu aspectos distintos do mesmo negócio. Renato Freitas atualmente dirige o setor de tecnologia da empresa, enquanto Ariel Lambrecht é o diretor de produto. Por fim, Paulo Veras é o presidente da 99.

Executivo com carreira na Endeavor e na B2W, Paulo acumula experiências em companhias com foco na tecnologia, no digital e no comércio *on-line*, como Imperdível (de descontos), Pixit (conteúdo digital) e Guidu (mídia social). Cursou Engenharia Mecânica na Universidade de São Paulo (USP) – turma de 1994 – e fez cursos na Harvard Business School e no INSEAD. O CEO da 99Taxis foi ganhador do prêmio "Faz Diferença" do jornal *O Globo* em 2009, além de ter sido empreendedor do ano em 2015 segundo *O Estado de S. Paulo*, no quarto Prêmio PME da publicação[6]. Paulo Veras repete em entrevistas que o negócio de sucesso começou com pouco dinheiro, com aportes posteriores. Era a sexta tentativa dele no segmento.

Ariel é formado em Engenharia Mecatrônica também pela Universidade de São Paulo e trabalhou como analista de qualidade das buscas do Google, entre 2007 e 2011. Depois fundou diferentes empresas, como webhelps!, Ebah e Engeeno, atuando tanto nos aspectos digitais dos negócios quanto no tal do SEO – *Search Engine Otimization*, ou otimização de procura na internet[7]. Ele trouxe, de certa forma, a cultura do Google para seus futuros empreendimentos, o que inclui a própria 99Taxis.

---

5 *Geek* é uma expressão para aficionados por tecnologia e conhecimentos. O termo pejorativo para essas pessoas inteligentes é *nerd*.
6 Consultado em outubro de 2016 no *link* do *site* do *Estadão* – http://pme.estadao.com.br/noticias/noticias,empreendedores-de-sucesso-trabalham-muito-mais-e-ganham-muito-menos-diz-paulo-veras,5947,0.htm
7 A ferramenta SEO melhora o resultado de conteúdos nas buscas do Google, por exemplo.

Também da Mecatrônica da USP, Renato Freitas cofundou a Ebah e a Patentes*On-line*. E ele conta como surgiu a 99, do seu viés como gestor de tecnologia da iniciativa.

"A empresa surgiu quando eu e o Ariel criamos um protótipo de um *app* chamado Táxi, inspirados por uma experiência que ele teve com o primeiro aplicativo deste segmento no mundo, que foi desenvolvido na Alemanha. Precisávamos da ajuda de uma terceira pessoa. Por isso mostramos o protótipo para o Paulo. Nós três somos os fundadores da 99", explica.

Para começar, as primeiras corridas aconteceram em agosto de 2012, após passar um mês cadastrando os primeiros motoristas. Depois da Europa, eles estavam lidando com um mercado inteiramente novo. E eles encontraram um Brasil que estava expandindo no consumo por meio do celular, mas faltava penetração dos aparelhos na sociedade. "No começo foi difícil porque a maioria dos taxistas não tinha *smartphone*. Eles ainda usavam aqueles *feature phones* clássicos[8]. Mas tivemos uma abordagem bem legal de proximidade com os motoristas, que ajudou a convencê-los a comprar o *gadget*: não cobrávamos taxa, além do nosso *app* ser mais completo e mais fácil de usar". Renato ainda relata que já existia um atendimento presencial para treinamento.

A concorrente EasyTaxi foi desenvolvida, e os taxistas receberam de presente, cada um deles, um *smartphone* para começar a entender o que era o serviço. Era uma aposta num mercado que ainda estava se formando, com motoristas desconectados do celular, que depois passou a servir como fonte de renda e GPS na rua.

---

8   Expressão em inglês para celulares limitados e de entrada. São o inverso dos próprios *smartphones*.

A fundação da 99Taxis não teve *smartphone* de presente, mas acompanhou essa mesma tendência. "Nós não distribuímos *smartphones* aos taxistas. Eles mesmos compravam", frisa Renato.

A resistência dos parceiros ao negócio ocorria por causa do desconhecimento da tecnologia. Os motoristas de metrópoles como São Paulo foram conquistados com uma abordagem bem próxima deles. A 99Taxis não travou diante da necessidade de trazer um treinamento novo para os taxistas entenderem como aquilo poderia impactar positivamente em seu próprio trabalho.

"Conseguimos aos poucos eliminar essa resistência. Hoje não tem mais resistência. Praticamente todo taxista tem o nosso aplicativo", diz o diretor de tecnologia da *startup* que passou a liderar o segmento.

Para além dos mitos da fundação da empresa e dos enganos dos profissionais da área, a 99Taxis se firmou num negócio educativo.

Ele formou os motoristas.

OS MOTIVOS DO SUCESSO

"Começamos com zero funcionário. No começo, éramos apenas os três sócios fazendo tudo. Conforme a empresa foi evoluindo e se provando no mercado, aumentamos o número de pessoas envolvidas com o negócio. Durante o primeiro ano, tivemos algo em torno de três funcionários. Depois de mais um ano, já estávamos na casa dos sessenta. Hoje temos algo em torno de 250 funcionários", afirma Renato de Freitas.

A empresa cresceu 100% no primeiro ano. Depois, 900%. Por fim, 316%. A 99Taxis surgiu, literalmente, do chão – e do nada – para se tornar uma iniciativa com mais de duas centenas de empregados. A companhia seria uma grande representante de *startups* mais consolidadas de outro *boom* de empreendimentos digitais no Brasil. Não havia mais os riscos que existiram dez anos antes[9].

Houve dificuldades iniciais no negócio. As principais do começo foram tanto a aceitação, já mencionada, quanto a eficácia do próprio serviço. Paulo, Renato e Ariel estavam construindo uma iniciativa que já tinha que provar seu valor de cara. O que eles estavam criando era uma *startup* de *marketplace*, com todas as barreiras naturais desse tipo de modelo.

Marketplace são empresas que precisam lidar com intermediação de dois públicos. Geralmente são compradores e vendedores. Mas essa dualidade de agentes no seu negócio assume diferentes nomes. No caso de aluguéis de espaços físicos, a dinâmica é entre inquilinos e proprietários.

A 99Taxis lida com motoristas e passageiros. Se há problemas no tratamento dos clientes, os taxistas ficam sem clientes. No caso contrário, não há estímulo para usar mais os serviços de táxi.

"E o problema principal é crescer com saúde corporativa. O que eu quero dizer com isso? Se, dentro da empresa, crescer mais passageiros do que a oferta de motoristas, você vai ter clientes insatisfeitos. E vice-versa", afirma Renato Freitas. Ainda segundo ele, o foco principal inicial era crescer mais rápido entre os condutores dos carros.

A estratégia adotada foi uma aposta na capacidade de criar bons relacionamentos com eles e oferecer melhores serviços para o seu trabalho. O serviço precisava funcionar bem e eles precisavam entender como aquilo poderia ajudá-los. Com os ensinamentos, os próprios taxistas se tornaram os promotores da 99Taxis. Os próprios

---

9   A história será abordada posteriormente neste livro, no caso da "bolha da internet".

parceiros tornaram o negócio conhecido pelos passageiros, e não seus fundadores, que deram apenas o pontapé inicial.

Existiu uma ponte que foi crucial para a disseminação do *app*, além dos motoristas. O recurso são as avaliações dos usuários do serviço.

As avaliações são a principal fonte de dados que a 99 usou para priorizar mudanças e melhorias no aplicativo. O sistema de chamada dos taxistas sofreu alterações baseadas em *feedbacks*, da mesma forma que a 99 também definiu a permanência dos próprios motoristas. "Nós fazemos um trabalho duro e constante de monitoria das avaliações", frisa Renato.

Segundo os desenvolvedores, os motoristas mal avaliados recebem informações de como podem melhorar seu serviço. Eles também podem acompanhar suas notas semanalmente. "Em casos graves e de recorrência, nós suspendemos o envio de corridas para eles, temporária ou definitivamente. Já paramos de trabalhar com mais de 5 mil taxistas no Brasil", diz Renato.

No dia 21 de julho de 2016[10], foi noticiado que 5% da frota total da 99 foram cortados do serviço, composta por 80 mil taxistas. A porcentagem é equivalente a 4 mil motoristas, os de pior avaliação no *app*. Só na cidade de São Paulo, 2,5 mil profissionais foram banidos do aplicativo. A maior reclamação foi de cheiro de cigarro nos carros. A avaliação média dos demitidos ficou abaixo de 4,2. A capital paulistana, sozinha, tem 35 mil motoristas cadastrados no aplicativo.

"Nós lançamos o *app* em agosto de 2012, então praticamente aproveitamos o crescimento dos *smartphones* do Brasil. Para os taxistas, a

---

10   Esta informação é do *site* da revista de economia e negócios *Exame*. Encontrável no *link* acessado em outubro de 2016 – http://exame.abril.com.br/negocios/99taxis-afasta-4-mil-taxistas-que-receberam-avaliacoes-ruins/

99 foi fundamental para a popularização dos celulares entre eles. Os motoristas perceberam que pode ser uma ferramenta de trabalho e de utilidade no dia a dia", afirma o diretor de tecnologia.

Sucesso dentro do plano de negócios. E a grana?

Como eles obtiveram investimento inicial? Houve outros investidores ao longo da trajetória? Como evoluíram os aportes?

Sem revelar valores, Renato Freitas dá alguns nomes. "Já tivemos três aportes de capital: em 2013, da Monashees e da Qualcomm Ventures, além de 2015, com dois aportes da Tiger Global."

O EFEITO UBER

É bom que exista essa concorrência internacional? Ao ouvir esse tipo de pergunta, executivos dizem que sim. Mas, na prática, ninguém quer que outro negócio ameace o seu trabalho, que conquiste os clientes que você poderia angariar e fique com o seu lucro. A 99Taxis, no entanto, tem um discurso interessante e mais construtivo sobre uma rival global: a Uber.

Para eles, a entrada de concorrentes de transporte com carros particulares levantou discussões relevantes sobre como o transporte deve funcionar e que tipo de regulamentação faz sentido ter. Em várias cidades, da prefeitura até a Câmara Municipal, políticos e ativistas conversaram com taxistas, que estavam agredindo motoristas da Uber, e pensaram em como tornar o serviço mais adequado à realidade brasileira. "A 99 participou ativamente de todas as discussões de regulamentação que aconteceram desde então", alega Renato Freitas.

O diretor de tecnologia também afirma que a empresa lançou, como reação à Uber, o serviço 99POP em São Paulo, que passou a funcionar em agosto de 2015. Trata-se de uma categoria de táxis luxuosos criada pela prefeitura local. A iniciativa surgiu com o estudo do comportamento de taxistas e passageiros nas corridas no sistema da 99. A empresa também influenciou a gestão municipal para permitir o uso de corredores de ônibus na capital paulistana em todos os horários.

"Sim, em linhas gerais, o 99POP é um Uber da 99. Mas com diferenciais fortes e claros, tanto para o motorista quanto para o passageiro. Para o passageiro, nosso diferencial é a qualidade do serviço. Em outros aplicativos, o processo de cadastro se baseia em apenas checagem de antecedentes e visualização de um vídeo de treinamento. No 99POP, nós somos bem mais exigentes: depois da checagem de antecedentes, fazemos uma ligação telefônica para entender a simpatia e a motivação do motorista. Aí o chamamos na 99 e verificamos o carro: luzes, setas, porta-malas, cinto de segurança, limpeza. Entramos no carro com o motorista e fazemos uma corrida, verificamos se sabe usar bem o Waze, se é cordial no trânsito e se respeita a sinalização. Depois disso tudo, ele faz um treinamento presencial e pode ser motorista 99POP. A seleção tem uma qualidade bem mais alta. Você não vai encontrar motoristas 99POP que não sabe usar o Waze ou com carro com mau cheiro, batido, entre outras situações embaraçosas", afirma Renato.

Segundo a 99Taxis, o motorista do seu serviço, em relação ao da Uber, é despreocupado no quanto ele ganha em dinheiro e na qualidade do seu trabalho. A empresa faz um acompanhamento mais próximo. Diz Renato Freitas: "Queremos que ganhe dinheiro justo, que se sinta numa comunidade, e que a 99 dê o suporte que ele precisa. Nossa taxa de participação nos ganhos é bem menor que a dos concorrentes: 16,99% contra 25%. Além disso, ele recebe o dinheiro na hora, no Cartao99, que ele pode usar como cartão de crédito até para compras *on-line*. Os concorrentes demoram até dez dias para pagar".

A TENTATIVA DE FUSÃO COM A EASYTAXI E A MUDANÇA DE NOME

Em agosto de 2016, surgiram notícias de uma possível fusão entre a 99Taxis e a EasyTaxi, concorrente direto deles[11]. No mês seguinte, no entanto, as negociações esfriaram[12]. O objetivo da operação era um só: aumentar o poder de fogo das empresas envolvidas contra a Uber.

O beneficiado direto na operação seria a 99Taxis.

"A 99 não comenta boatos" é o que respondem os executivos da empresa com crescimento meteórico sobre a negociação. As informações vazaram para a imprensa de fontes próximas das duas companhias.

Apesar do fracasso nessa iniciativa, a empresa fundada por Ariel Lambrecht, Renato Freitas e Paulo Veras mudou seu posicionamento corporativo. E isso afetou diretamente a marca do produto.

Antes das notícias sobre a fusão, em 7 de julho, a 99Taxis mudou seu nome para apenas 99. A campanha publicitária de alteração de *branding*[13] foi coordenada pela agência Africa, de Nizan Guanaes. O *slogan* adotado na nova fase é "99, o seu ponto de partida"[14].

A empresa passou a adotar uma filosofia para além dos táxis e está se transformando numa iniciativa de mobilidade, que não está presa a apenas um modelo de negócio.

---

11 Baguete e CanalTech noticiaram baseados na revista *Época*. Links acessados em setembro de 2016 – https://corporate.canaltech.com.br/noticia/fusoes/contra-o-uber-easy-taxi-e-99-podem-anunciar-fusao-76773/ e http://www.baguete.com.br/noticias/15/08/2016/99-taxis-e-easy-negociam-fusao
12 Informação da *Época Negócios*, acessada também em setembro de 2016 – http://epoca.globo.com/vida/experiencias-digitais/noticia/2016/09/fusao-entre-99-e-easy-taxi-esfria.html
13 Expressão em inglês para marcas.
14 A campanha inicial, de julho, está na internet no seguinte endereço – https://www.youtube.com/watch?v=VNS1-qH2Tlw

Renato Freitas resume qual seria esse novo direcionamento que a mudança de marca aponta.

"Nós começamos como um *app* de táxi e estamos expandindo nosso escopo. Tiramos táxi do nome e agora somos apenas 99. A ideia é que, além de trabalhar com táxi, a gente trabalhe com qualquer forma de transporte que faça sentido para as pessoas se locomoverem: carros particulares, motos, vans, bicicletas, barcos etc. Tudo isso, sempre através de tecnologia, que é a nossa marca registrada", resume.

"E aí, pra onde vamos?" é o mote da 99 nos dias atuais. Os empresários envolvidos com a iniciativa não se prendem ao modelo dos taxistas. Eles querem inovar nos transportes urbanos brasileiros como um todo, assim como a própria Uber está mudando globalmente no caso dos carros.

Mas há uma preocupação com o respeito às leis trabalhistas e aos impostos praticados no Brasil, considerando a carga tributária elevada ou não. O trabalho da 99 é realmente gerar um negócio ganha-ganha entre os dois sustentáculos do seu negócio: clientes e motoristas.

Essa é a história de uma empresa que revolucionou o transporte particular de São Paulo para o Brasil todo por meio de um aplicativo com GPS e configurável em poucos toques na tela do seu celular.

Agora vamos para duas histórias de outras empresas que reinventaram os transportes em nosso país. No entanto, a diferença está nas categorias particulares dos seus serviços.

Reinvenção da logística da **TruckPad** e da **Loggi**

Carlos Mira, da TruckPad, e
Fabien Mendez, da Loggi

capítulo 3

Duas empresas que transformaram os serviços de *motoboy* e de caminhoneiros em nosso país. Como *apps* facilitaram o transporte de cargas de pessoas comuns e das empresas.

O pioneirismo no O2O em transportes não se restringe ao caso de vanguarda da 99Taxis e sua competição com a EasyTaxi. Nem sequer é uma exclusividade do transporte com carros que é privado. Outros setores seguiram a onda de reinvenção dos serviços que já estavam estabelecidos. E a maioria dos programas focados em transportes apostou na popularização do *iPhone* no Brasil, a partir de 2010, e sobretudo na pulverização do sistema Android. O *software* que passou a se integrar com o Google foi instalado em modelos que chegaram às classes médias brasileiras até aos pobres, que passaram a ter acesso aos modelos de entrada e alguns mais avançados.

Para além da história de programas para *smartphones* e aplicativos para automóveis, duas empresas trouxeram inovações necessárias ao mercado brasileiro.

A primeira foi a TruckPad, em 2011, focada na logística com caminhões; e a Loggi, especializada na entrega por meio de *motoboys*.

Duas *startups* que saíram da lógica dos carros para ampliar a eficiência de outros setores do transporte brasileiro.

AS NECESSIDADES DOS CAMINHONEIROS E A VISÃO DE UM EMPREENDEDOR

Do transporte de pessoas, os negócios O2O também estão mudando a logística de cargas. No início de 2016, a Mercedes-Benz vendeu 1.023 caminhões e liderou o transporte frigorífico no Brasil[1]. Empresas como JBS e Brasil Foods (BRF) deram um gás na circulação de modelos semipesados e extrapesados da marca.

Segundo a CNT, Confederação Nacional do Transporte, empresas são donas de 53% da frota nacional, já os autônomos ficam com 46% do total. No segmento de transporte leve, estimado em até 29 toneladas, o caminhoneiro autônomo ainda é maioria, com 73%[2].

Há ainda mais especificidades do nosso mercado. O número de 13,3 anos é a idade média da frota nacional, mas os veículos dirigidos por autônomos são, em média, oito anos mais velhos, estimados em 17,9 e 9,8 anos, respectivamente. Os caminhões de 8 a 29 toneladas, que têm média de 24,8 anos quando nas mãos dos autônomos, passam dos 20 anos com as companhias.

É um setor, portanto, envelhecido e com problemas nas próprias estradas brasileiras. Em 2015, a mesma CNT divulgou que 50% das rodovias ainda estão com buracos e inadequadas para uso, mesmo com as concessões e a modernização de algumas vias[3].

Entre os casos internacionais, a Uber comprou a empresa Otto de caminhões autônomos, o que marcaria um passo definitivo do mercado O2O no transporte de carga[4].

Nesse contexto, surgiu no Brasil a iniciativa do empresário Carlos Alberto Mira. Ele já tinha experiência no segmento e uma vontade

---

1 Informação da própria empresa. Consultada em 10 de outubro de 2016 neste *link* – https://www.mercedes-benz.com.br/institucional/imprensa/releases/caminhoes/2016/8/16360-mercedes-benz-lidera-as-vendas-de-caminhoes-para-o-transporte-de-cargas-frigorificadas-em-2016
2 Dados consultados no *site* Pé na Estrada, especializado no público caminhoneiro. Visita feita em setembro de 2016 – http://www.penaestrada.com.br/caminhoneiro-autonomo-e-maioria-dados-sobre-o-segmento-de-transporte/
3 Divulgação do portal G1, da Globo – http://g1.globo.com/jornal-da-globo/noticia/2015/06/metade-das-rodovias-esta-cheia-de-buracos-e-com-pavimentacao-ruim.html
4 Informação do *Auto Esporte* – http://g1.globo.com/carros/noticia/2016/09/uber-vai-entrar-no-transporte-de-cargas-com-caminhao-autonomo.html

de modernizá-lo. Fundador da TruckPad, ele explica tanto a história da empresa quanto as suas ambições pessoais. No Brasil, seu empreendimento é chamado de "Uber brasileiro"[5].

"Eu trabalho há 35 anos no setor de transportes. Hoje sou um empreendedor digital, que tem muita juventude e muito cara recém-formado em faculdade, mas eu mesmo já tenho quase 50 anos. Farei 49 agora em dezembro", diz o executivo que criou outro negócio que superou limites tradicionais de um segmento.

O HOMEM QUE APRENDEU A ANDAR NO PÁTIO DE UMA TRANSPORTADORA

Carlos Mira tem um perfil de executivo certo no momento correto de um mercado. É um homem com uma trajetória tradicional e familiar dentro de um setor repleto de problemas a serem solucionados. Esperar uma solução dos governos vigentes para melhorias em logística é um tiro no escuro, em geral mal-sucedido, e apelar para os mesmos métodos não fará um mercado se modernizar.

Mira veio do meio e trouxe uma mentalidade nova para o mesmo tipo de serviço que afeta entregas por todo o Brasil.

"Eu praticamente aprendi a andar no pátio de uma transportadora. A minha família tem uma e eu trabalhei em empresas dessas desde os meus 14 anos e por lá fiquei por quase 35 anos. Comecei como *office boy*, atendente e saí da companhia em 2011 para 2012. Naquele período eu tive a ideia de criar o aplicativo", diz Carlos,

---

[5] A expressão surgiu em diferentes reportagens. O portal Terra cravou o termo num texto de 19 de outubro de 2015. Acessamos o material um ano depois. Segue o *link* http://noticias.terra.com.br/brasil/estradas/uber-dos-caminhoneiros-conheca-o-app-que-encontra-cargas,03b9150fe1c669e3fbdfd0802ec6357118a0w6no.html

explicando como foi a sua mudança de direção. Seu passado no setor seria crucial para a estruturação do negócio.

Ele foi presidente-executivo da TARGET Logística e da MIRA Transportes. Segundo o próprio Mira, a empresa era gerida numa gestão composta por um conselho. As decisões não cabiam somente a ele, apesar do seu cargo. "Sou o irmão mais novo de uma família de seis. O meu irmão mais velho era o sócio majoritário na ocasião, pois tinha comprado a participação dos meus outros irmãos, e eu era minoritário, embora fosse presidente. É uma companhia grande com 30 filiais pelo Brasil todo. Fatura quase R$ 500 milhões por ano e conta com 400 funcionários. É uma empresa grande. Desde criança eu posso dizer que nasci e vivi dentro de uma transportadora que era o ambiente de trabalho da minha família", acrescenta.

É uma organização de décadas com centenas de funcionários.

Carlos fez sua primeira viagem em rodas pelo território brasileiro embarcado num caminhão. Ele estava de carona com um homem que trabalhava para sua família. A experiência marcou a sua própria visão de mundo.

Para embasar o seu negócio, Carlos Mira criou um termo-chave para o que seria o seu *app* móvel: "empreendedores das estradas". "Eu queria ajudar esses empreendedores que são os caminhoneiros", afirma.

Ele quis oferecer auxílio aos motoristas por ter uma convivência próxima da sua realidade cotidiana. E, como empresário, tinha interesse direto que aquele tipo de serviço de entregas melhorasse num complicado sistema de malha logística.

Precisamos entender, então, qual é o segmento real dos caminhoneiros.

OS NÚMEROS E A REALIDADE

Existem três milhões de veículos comerciais no Brasil, e os motoristas fazem o serviço de entregas que custa o valor que chamamos de frete. O frete, em qualquer dicionário, significa o ato de condução e entrega de mercadorias e cargas de diferentes naturezas[6]. Entre todos eles, cerca de dois milhões são funcionários das empresas. Ou seja, possuem carteira assinada e uma rotina de trabalho mais regularizada.

Essas companhias de logística pertencem a setores que vão da indústria até o comércio. "A Casas Bahia tem uma frota grande, por exemplo", explica Carlos Mira sobre seu próprio mercado. No segmento, um terço de todos os veículos, um milhão, é de propriedade dos seus donos, ou seja, os próprios motoristas. Eles são chamados de *independent drivers*, transportadores autônomos de carga, segundo a Agência Nacional de Transporte Terrestre (ANTT).

Os dados explicitados até aqui são da mesma entidade, que regulariza o setor.

Um milhão deles circula pelo território brasileiro como um todo, fazendo em média cinco viagens por mês. São 5 milhões de transportes feitos por caminhoneiros autônomos no Brasil.

"Minha ideia era colocar um negócio para explicar aos caminhoneiros: 'Não ande vazio'. Se você para os caminhoneiros na Marginal Tietê, eles estão nesta situação e explico o motivo. Na hora que você descarregar uma entrega, você nota que a coordenação dos veículos é muito ruim nas estradas. E eu estou falando apenas de caminhões de transportadoras. Pelo viés dos autônomos, a situação é

---

[6] O dicionário *Priberam*, português, adota esta definição (http://www.priberam.pt/dlpo/frete). O *Houaiss* adota o mesmo significado.

pior. Às vezes ele tem que rodar quilômetros procurando uma nova carga, porque não tem um contrato fixo. Ele tem que ir em posto de gasolina, terminais de carga e outros pontos vazios procurando por trabalho. Quero otimizar o ativo que já está rodando hoje e não vou, necessariamente, gerar espaço para novos motoristas", afirma.

Foi graças a esses números e esses princípios que Carlos Mira abandonou negócios familiares antigos para dedicar-se à TruckPad.

"VOCÊ ESTÁ LOUCO. NINGUÉM VAI USAR ESSA PORCARIA"

Para implantar o seu negócio, Carlos teria que superar duas barreiras principais: suas próprias expectativas e o preconceito de seus familiares. O primeiro passo para vencer os obstáculos seria dar um foco para a *startup* e definir suas primeiras medidas.

O alvo do seu negócio seriam os caminhoneiros autônomos e não os contratados por grandes transportadoras. Justamente os mais afetados pela ineficiência da logística brasileira, com inúmeros gargalos presentes. E a primeira providência foi a documentação da empresa.

Carlos diz: "Comecei a lidar com caminhoneiros autônomos em 2011, ao ter a ideia para o meu próprio negócio. A primeira atitude foi registrar a iniciativa no Instituto Nacional de Propriedade Intelectual, INPI, em julho de 2012. E tenho, inclusive, o certificado de *copyright*[7] norte-americano como patente. Por isso eu sou o criador do conceito TruckPad e o primeiro no Brasil neste segmento. Provavelmente sou um dos primeiros do mundo neste ramo".

O cuidado que o fundador da TruckPad teve com a documentação inibiu que outras pessoas patenteassem exatamente a mesma

---

7   Expressão em inglês correspondente a "contrato de direitos autorais".

ideia pela qual ele gostaria de receber lucros futuramente. Tanto na venda de aplicativos quanto licenças a respeito de cada aspecto do produto digital. Antes de pensar num negócio estruturado, ele tentou proteger o seu conceito de empreendimento sob a visão das leis.

E não fez o registro apenas no Brasil, mas também no exterior.

E eis que surgiu o segundo grande problema da TruckPad.

"Quando eu decidi tocar a minha ideia adiante, ninguém da minha família acreditava no projeto, porque não existia nenhum caminhoneiro independente que tivesse *smartphone* naquela ocasião. 'Você está louco', eles me diziam. 'Caminhoneiro nunca vai utilizar essa porcaria'. E, depois de fazer a pesquisa e o registro, ao lançar a primeira versão, de fato nenhum deles tinha esse tipo de celular. Meus parentes não estavam totalmente errados", afirma.

O equívoco da família de Carlos Mira – além da truculência natural deste argumento – era a falta de pensamento no longo prazo. Presa à visão do Brasil de 2012, a família não enxergava um ano à frente. Tampouco cinco ou dez anos.

Com a documentação, Carlos participou de vários concursos de *pitching*[8] e vendeu sua participação na transportadora familiar em dezembro de 2012, pedindo demissão. Além do preconceito inicial com sua ideia de empresa mais moderna de logística, a família se decepcionou com seu desligamento dos antigos negócios.

"Praticamente briguei com a minha família, porque o pessoal não estava acreditando que eu tinha feito aquilo. Teve aquela gritaria toda porque ninguém acreditou. É toda uma família envolvida no meio. Primos, parentes e sobrinhos. Todo mundo estava, naquele momento, dando opinião para mim. Quando eu

---

8   *Pitching* é uma expressão inglesa para apresentação de ideias que podem desenvolver um plano de negócios.

era presidente-executivo, o pessoal disse que tinha me preparado para ser presidente da empresa e eu disse que estava saindo, o pessoal ficou ofendido. 'Como assim, a gente preparou você'. E eu respondi que não era refém deles. Eu era minoritário no negócio e trabalhava feito um camelo. Tinha uma oportunidade e segui em frente. Ia aproveitar, não é mesmo? Então saí da companhia e não montei outro CNPJ com zero minuto de jogo", afirma Carlos Mira.

O idealizador da TruckPad explica por que foi atrás de patentes em vez de criar a empresa em si. "Como todo bom empreendedor, eu não peguei o meu dinheiro, e eu tinha alguma graninha, e saí montando um escritório. Pelo contrário. Eu fazia reuniões com meus potenciais parceiros em *shopping centers*, restaurantes e não montei sede. Eu não fui criando uma estrutura. Fui com mentalidade de *startup* para ver se o negócio se segurava. Participei de eventos da Endeavor, assisti palestras em tudo quanto é lugar que tinha. Fiz meus encontros por ali. Por que eu estou te contando esta história? É porque eu só fui registrar o CNPJ da minha empresa em dezembro de 2014, quando eu recebi de fato o primeiro investimento. Até então eu pagava tudo na pessoa física, sem CNPJ. A ideia era ir fazendo a estrutura de acordo com as minhas condições. Vivia de *coworking*[9] e a gente ganhou, em 2013, um concurso chamado Google Startup Weekend como a melhor ideia de *startup* do ano. Isso foi antes mesmo de fundar a empresa em si. Por conta da premiação, vários *coworkings* nos chamaram para formar parceria e depois eu fui para a Editora Abril, que tinha uma parceria com a Plug and Play norte-americana."

Carlos Mira foi mentor na Endeavor, organização sem fins lucrativos que ajuda a fomentar empreendedorismo, com sede em

---

9   Local de trabalho comunitário. O conceito será explicado também no capítulo deste livro sobre o GetNinjas.

Nova York. Existente desde 2007, a Startup Weekend é uma maratona de desenvolvimento de negócios em formato de *pitching*. Considerada como a melhor ideia de 2013 num evento patrocinado pelo Google, a TruckPad foi levada até uma iniciativa da maior editora de revistas na época, a Abril.

Criada em fevereiro de 2014, a Abril Plug and Play é uma incubadora e aceleradora de *startups* criada entre o grupo editorial da família Civita, no Brasil, e Play Tech Center no Vale do Silício, nos EUA. Eles passaram a selecionar as melhores ideias do nosso país para estabelecer pontes com a sociedade americana visando o crescimento das empresas que poderiam surgir a partir de *startups*.

A TruckPad encararia sua temporada gringa como a fase preparatória final até a formalização da empresa como um todo, no fim daquele mesmo ano. A "loucura" de Carlos perante a família o fez conquistar um prêmio e receber um reconhecimento em cima de uma ideia que nem sequer tinha CNPJ[10] próprio.

OS ESTADOS UNIDOS E O PRIMEIRO INVESTIMENTO

"Fui para os Estados Unidos e fiquei hospedado dentro da aceleradora Plug and Play na Califórnia. Fiquei seis meses morando no Vale do Silício. Estava lá eu, o meu sobrinho – que é meu CTO e meu cofundador, o moleque técnico por trás da cena – e a Roberta, uma amiga minha que pediu as contas da empresa onde ela trabalhava para também fundar a TruckPad e cuidar do *marketing*. Todo mundo entrou nessa com o risco", frisa Carlos Mira, dando a entender que todos os envolvidos com sua *startup* não tinham certeza se a ideia de fato funcionaria.

---

10 CNPJ é o registro de Pessoa Jurídica, necessário a qualquer negócio.

Mesmo após ter brigado com alguns parentes, Carlos levou alguns deles para sua iniciativa para uma temporada de meio ano em território americano. Sua ida para fora do Brasil definiu como o negócio iria começar.

"A gente foi junto e lá eu recebi uma proposta de investimento da Movile, que é dona da iFood e da Ingresso Rápido."

Perguntamos quanto era o valor do financiamento.

Diz ele: "Não divulgamos o tamanho do aporte deles e nem o quanto vale a companhia hoje. Isso é uma estratégia para não dar muitas referências aos *copycats*[11], pessoas que copiam as suas ideias. No final do ciclo que eu estava em Sunnyvale na Califórnia, no Vale do Silício e dentro da Plug and Play, a gente ganhou um concurso chamando Winter Exhibitions. Fomos considerados a *startup* mais inovadora do mundo em dezembro de 2014".

No mesmo mês da fundação da TruckPad, eles ganharam um prêmio. Mais um.

E a atitude de Carlos tem uma lógica própria que faz sentido.

Muitos dos empreendedores de negócios O2O não revelam suas informações de financiamentos para não gerar iniciativas que são pura cópia das suas ideias. Por precaução, eles contam quem são os financiadores e dão pistas de como a empresa se estruturou. A Movile, por exemplo, é a atual dona da iFood, O2O focada em alimentação *delivery*[12], e também está envolvida com muitos empreendimentos digitais.

"Ganhamos certificado e isso foi muito legal. A gente concorreu com mais 29 *startups* escolhidas ali a dedo pelas aceleradoras

---

11 *Copycat* não é apenas uma expressão inglesa para ideias copiadas, mas também iniciativas que foram tão largamente replicadas que é difícil precisar qual é a versão original.
12 Refeições por entrega.

e participamos de um concurso de *pitching*. As pequenas empresas subiam no palco e falavam por cinco minutos com uma plateia formada por *venture capitalists*[13] e foi neste contexto que a gente ganhou o concurso. Os americanos têm esse tipo de coisa competitiva. Eles fazem campeonato mundial de *baseball* só com times deles, por que não fariam isso com *startups*? Nós ganhamos isso, e foi ao aceitar o primeiro investimento da Movile que eu topei criar o meu próprio CNPJ", conclui Carlos sobre esse período.

Com o dinheiro em mãos, Carlos Mira continuou fazendo o que sabia melhor naquele período.

Ele continuou testando sua própria ideia.

SMARTPHONE É O FUTURO

"Antes de seguir em frente na história, eu vou precisar voltar um pouco para que todos entendam direito o que aconteceu. A cronologia correta é a seguinte: em 2011 eu fui até o Vale do Silício junto com um grupo de empresários e tive a ideia que deu origem à TruckPad numa palestra na Universidade de Stanford. Numa das palestras, o professor pegou um *smartphone* e falou que 'isso aqui vai mudar a forma como fazemos negócios. Vai mudar de novo, porque a internet já fez isso uma vez'. Setores da economia que precisam de muita comunicação terão uma revolução por aí, ele nos disse. O professor também disse que aqueles que tiverem acesso ao 3G e ao 4G verão algo fantástico. Será algo bom para países com proporções continentais."

---

13 *Venture capitalists* é uma expressão inglesa para pessoas ou organizações financeiras que investem em novos negócios, sobretudo nos que envolvem risco.

Carlos disse, naquela ocasião, que não visitou o Oeste norte-americano apenas uma vez, especialmente para tratar sobre a TruckPad. A sua primeira visita foi em 2011. A *startup* nasceu tanto do seu desejo de modernizar o meio da logística de caminhões quanto a respeito das possibilidades com celulares conectados com a internet.

A aula em Stanford foi crucial para que ele consolidasse a iniciativa.

"Eu achei, naquela ocasião, que o professor estava falando comigo. Aquilo, de alguma forma, falava com o caminhoneiro e com o transporte. Em 2011 eu tive a ideia, em 2012 eu a registrei. No ano de 2013 eu lancei o MVP, juntando um ou dois caminhoneiros que pudessem utilizar."

Durante dois anos, Carlos Mira permaneceu praticamente fazendo testes com sua própria empresa. Isso tem um nome específico no mundo dos negócios e envolve diretamente o tipo de iniciativa que está sendo desenvolvida. Trata-se do chamado MVP (*Minimum Viable Product*[14]) e tudo foi pensado ainda como pessoa física, sem envolver funcionários ou uma estrutura. Não havia escritório e todo o dinheiro aplicado para estudar, planejar e prototipar saiu do bolso do próprio Carlos. Em 2014 veio o registro da empresa como companhia aberta.

MERCADO SAZONAL

Em seu currículo no LinkedIn, Carlos Mira afirma que é formado em Economia pela Fundação Armando Alvares Penteado (FAAP), com pós-graduação pela Escola Superior de Propaganda e Marketing (ESPM), ambas de São Paulo, e especialização pela Oklahoma State University. Na prática, sua real formação

---

14 Expressão para "Produto Mínimo Viável".

profissional foi dentro de transportadora. Na carona de um caminhão, Carlos passou a entender que o mercado de logística é tão sazonal quanto o agronegócio é na safra de morangos.

Há meses bons e outros de baixa, embora não envolva necessariamente fatores climáticos. O que muda na equação do seu negócio é um só: homens.

"Nós alcançamos 450 mil *downloads* do nosso aplicativo e formamos realmente uma comunidade. Com o tempo, esse mesmo público vai se consolidando de novas formas. Basta você pensar no tempo da TruckPad. O negócio cresceu muito rápido, e o profissional não estava acostumado a fechar encomendas pelo *smartphone*. O normal seria ir a agências de carga, postos de gasolina e outros estabelecimentos que já faziam parte do seu trabalho. Quando atingimos 450 mil pessoas, que não são todos os cadastros de motoristas, elas colocaram algo essencial no negócio que é o número de CPF[15]. Não eram todos os aplicativos que permitiam isso", diz o fundador da empresa. O trabalho foi justamente reunir tantos usuários dispostos a compartilhar dados.

Para Carlos, a TruckPad é tecnicamente um *marketplace*, com empresas de um lado e caminhoneiros do outro. As duas pontas se retroalimentam. Dentro do serviço num aplicativo gratuito há 8 mil corporações que usam o programa para localizar um caminhoneiro. Isso foi uma dificuldade até chegar ao atual patamar, porque o motorista não forneceria as informações para ser encontrado.

E ele fala sobre os profissionais: "A gente está evangelizando o público e falando: 'Olha, você pode, sim, contratar um motorista *on-line*'. O caminhoneiro, *a priori*, ficava receoso de fazer isso e não

---

15 É o Cadastro de Pessoa Física, diferente do CNPJ.

encontrava motivo para dar seu número de documento. Como se trata de um aplicativo profissional, eu preciso da identificação para consultar a ANTT para saber se o cara de fato é motorista e se ele está registrado como tal. Ao chegar nesse patamar de *downloads*, atingimos 250 mil usuários registrados. São caras que colocaram telefone, CPF e outros dados que são, de fato, mais relevantes para aumentar a eficiência do serviço".

Numa reportagem de novembro de 2015, o *site* StartSe[16] afirmou que a TruckPad seria uma espécie de "Uber dos caminhões" e que a empresa de Carlos Mira teria intermediado "quase R$ 1 bilhão em contratação de cargas para caminhoneiros autônomos". O número de clientes atingidos pelo *app*, de acordo com o jornalista Júnior Borneli, foi de 500 mil, acima do valor dado pelo fundador da companhia.

O empresário esclarece o montante divulgado na reportagem, que na verdade pertence a uma movimentação total entre cargas de R$ 240 bilhões: "Brasil é muito sazonal no mercado de transporte de carga. Conforme vai chegando o final do ano, existe muita demanda perto do Natal. Há também o efeito do agronegócio no segmento, com pico de carga de origem agrícola como soja, algodão e milho. E, nesses números das empresas, cerca de 8 mil delas fizeram ofertas em novembro de 2015. Aquele foi o melhor mês da TruckPad. E ele foi equivalente a R$ 1,5 bilhão entre os nossos prestadores. Foi um único período com esse valor. Empresas entraram no meu *site* e fizeram esse naipe de ofertas para os meus caminhoneiros naquele mês. Foi com esse número que o StartSe trabalhou em sua reportagem".

---

16 Página que fazia parte do InfoMoney, *site* de economia e finanças associado com a XP Investimentos. Fonte: http://conteudo.startse.com.br/empreendedores/juniorboneli/uber-dos-caminhoes-*startup*-brasileira-e-considerada-uma-das-mais-inovadoras-do-mundo/

A TruckPad, portanto, não dá o mesmo fluxo de ganho num mesmo ano. Não é uma entrada de dinheiro regular.

Ele depende das necessidades do mercado que pretende renovar.

O LABORATÓRIO

"A primeira facilidade que enxerguei no ramo assim que entrei efetivamente foi uma boa entrada com os principais *players* do mercado. Tive uma aproximação com os caminhoneiros bem bacana. Conheci a vida deles e estive em terminais de carga para saber o que fazer, além de postos de gasolina. A gente fez uma *'costumer's journey'*[17] de uma forma muito precisa. Eu tenho laboratórios de relacionamento com os caminhoneiros no terminal de cargas Fernão Dias, por exemplo. A experiência prévia trouxe essa facilidade. Sou palestrante em eventos internacionais de logística e em 2016 tivemos, na Universidade Federal do Rio de Janeiro (UFRJ), o 22º Fórum Internacional de Logística e eu fui um dos palestrantes com o *case* da TruckPad."

Carlos Mira criou um "laboratório" para manter sua experiência de relacionamento com os caminhoneiros. Por palestrar e falar sempre sobre o negócio que está desenvolvendo, ele se considera um *"expert* no tema"*. "Mas eu também sou um estorvo pra companhia, porque eu aprendi que a solução é disruptiva[18] para o problema. Então eu fico me policiando para não atrapalhar os meus próprios técnicos e o desenvolvimento do meu próprio negócio num mercado novo. Meu mote é: 'Nós temos que fazer uma coisa absolutamente nova. Não podemos tocar o mais do mesmo. Quero fazer uma coisa que ninguém tenha

---

17 Expressão em inglês para a "viagem do consumidor".
18 Teoria disruptiva é uma inovação que cria um mercado inteiramente novo.

pensado para resolver este problema. Não quero executar a mesma rotina numa agência tradicional conforme ela repercute. Eu quero pensar fora da caixa e questionar. Quero que a tecnologia funcione."

O fundador da TruckPad vê como traço de sua experiência e segurança para lidar com um negócio com milhares de *downloads* o relacionamento criado com os profissionais de logística para aumentar a penetração do serviço. É uma visão otimista sobre a otimização da iniciativa. Por outro lado, ele também enxerga uma necessidade de administrar seu próprio pensamento. Mesmo conhecendo muito bem o segmento, Carlos quer que seu time crie coisas absolutamente fora da caixa: "Este tem sido o meu lema". A TruckPad mantém um relacionamento bom e muitas empresas o procuram e fazem convites para realizar determinadas parcerias.

Só que parcerias que não despertam a curiosidade de Carlos Mira simplesmente não são formalizadas. Para o executivo de transportadora, a *startup* tem DNA de empresa de tecnologia e executiva. É um laboratório de testes, no sentido literal da palavra.

De teste em teste, a TruckPad levou Carlos aos Estados Unidos, para o seu primeiro investidor e para milhares de clientes, de duas pontas, que dariam sustentabilidade ao negócio. "É assim que a gente quer seguir", diz.

É A "UBER DOS CAMINHONEIROS"?

A mesma reportagem do StartSe compara a TruckPad com a Uber. A semelhança tratada é justamente pela organização de motoristas independentes sob a empresa fundada por Carlos. Ele gosta do paralelo traçado, mas explica diretamente quais são as diferenças.

"No geral, o pessoal hoje compara muito os serviços O2O com a Uber. Mas eu tenho certa reticência e ressalvas. É bacana traçar esse paralelo como adjetivo, porque ele acaba funcionando como *marketing* e publicidade do seu negócio, especialmente para leigos. 'Somos a Uber dos caminhoneiros'. No entanto, explicando corretamente, a TruckPad não é exatamente isso. A Uber literalmente traz um ativo que estava parado na garagem da pessoa e a leva para entrar num ramo do qual ela nunca fez parte. O cara não era motorista profissional de transporte de passageiros. Ele se transforma nesse profissional do dia pra noite. O ativo parado em casa pode servir pra ele faturar uma graninha. Entra-se num mercado de trabalho sem estar preparado para isso. Esta é a diferença estrutural do processo", afirma Carlos, listando as diferenças entre os dois serviços.

A proposta da *startup* é, portanto, otimizar uma estrutura de logística que já existe e é atrofiada por seus gargalos, não criar novos motoristas de caminhão ou uma nova categoria de serviços. Carlos desde o começo tentou incrementar transportes que já existiam no país.

Diz ele: "Eu não trago nenhum caminhão que está parado na garagem de um cara e levo para o setor produtivo. É uma distinção fundamental. O que a gente faz de fato é diminuir a ociosidade dos veículos que já estão operando no setor. Por isso eu sou mais EasyTaxi, 99Taxis do que a própria Uber. Não trago novos *players*. Até porque esse segmento é fortemente regulamentado pela ANTT. Não tenho esse ativo parado na garagem. O que a gente está fazendo é sim otimizando os ativos".

Pelos dados da Confederação Nacional dos Transportes (CNT), cerca de 40% dos caminhões do Brasil, neste momento, estão vazios. "Olha que loucura! É uma ociosidade gigante. De novo, tem um milhão de caminhoneiros autônomos no Brasil e a gente tem em média 50 mil motoristas recorrentes no *app*. É pouco. A gente tem 250 mil caminhoneiros nas estradas que não são recorrentes. É trabalhador que pega apenas uma carga por mês, duas, e a gente sabe que o cara faz cinco ou dez viagens. E às vezes a gente diz: 'Seu Antônio, por que o senhor não pegou a carga neste mês?'. E ele responde que passou num posto de gasolina e soube que um rapaz tem uma carga que ele acabou levando. A gente quer que o cara faça todos os serviços possíveis."

Uma palavra que define a principal vantagem da TruckPad é a eficiência.

"Um dia eu estava brincando com o diretor da Movile e ele falava: 'Poxa, mas o caminhoneiro não vai usar 100% o serviço da TruckPad.' E eu respondi que nem todos os pedidos são pela iFood. Ainda existe pizzaria que atende por telefone, do mesmo jeito que antes. A gente tenta evangelizar essa galera. Não tenho dúvidas que em dois anos ou quatro anos a gente veja 100% das cargas passarem por alguma plataforma. Pela TruckPad ou qualquer outra que seja. Enquanto isso, nós temos que catequizar e evangelizar toda uma comunidade. Hoje a gente faz um serviço com os caminhoneiros de só entregar carga completa do ponto A até o ponto B, o *'full truck mode'*[19]. Caso um caminhoneiro vá de São Paulo até Bauru, ele pode fazer a viagem levando a geladeira de uma dona de casa adicional. Trata-se de um complemento que traz uma receita marginal ao caminhoneiro, um lucro adicional, mas ainda não lançamos esse produto de uma forma escalável e pronta."

Ele não é, portanto, como a Uber.

TRUCKPAD COM GRANDES MARCAS

A TruckPad também tem outro produto em desenvolvimento chamado de *road drivers*, os consumidores nas estradas. Nessa modalidade, enquanto o caminhoneiro transporta uma carga pelo *app*,

---

19 Modo de carga completa, do inglês.

ele precisa dar informações sobre o tipo de caminhão que tem, todos os documentos dele e onde está no mapa.

Nesse contexto, o gestor do aplicativo pode perguntar que tipo de posto de gasolina ele gosta, qual marca de pneu ele prefere e, com isso, estamos construindo um *business inteligence*[20] de logística que vamos oferecer aos fornecedores do setor. Firestone, Mercedes-Benz, Shell e empresas que podem se beneficiar da TruckPad como ferramenta de *marketing* para essa finalidade de acordo com essa função específica.

"Quando eu lancei o *app* e ganhei o concurso no Google, três meses depois um *copycat* lançou sua versão. Eu fiquei puto da vida, porque os caras estavam me copiando na cara. Mas depois eu achei bom mais gente estar nesse mercado. Quando você está fazendo sozinho e falando sozinho, ninguém acredita em você. Todo dia que eu abro a *store*[21] eu vejo outro aplicativo e vejo mais concorrência. O que me deixa tranquilo é que eu criei o conceito da TruckPad, registrei a patente antes de todo mundo, mesmo sem garantia de sucesso. Eles veem se você faz mais rápido e com qualidade melhor do que todo mundo."

Carlos Mira está certo.

Recentemente sua empresa assinou um acordo com a Mercedes-Benz para ser uma patrocinadora oficial da TruckPad. O empresário de cabelo semirraspado, que é fã dos caminhoneiros, afirma que tem um relacionamento longo com a marca e hoje está fornecendo informações do seu negócio para compreender melhor sobre como se estabelece uma parceria com a fabricante automotiva.

"A TruckPad será *sponsored by*[22] Mercedes-Benz", afirma o sorridente Carlos.

---

20 Business Inteligence é uma categoria corporativa que lida justamente com a modificação ou expansão de um negócio.
21 Expressão em inglês para loja *on-line*.
22 Patrocinado por, em língua inglesa.

As estradas brasileiras encontraram, em pouco mais de um ano, o negócio definitivo para começar a conectar o universo digital com os caminhões.

Mas as mudanças no serviço de cargas não seriam restritas à TruckPad.

APLICATIVO QUE DESCOMPLICOU O SERVIÇO DE ENTREGAS

Restrito até recentemente às empresas, o entregador de encomendas que faz o seu serviço de moto ganhou um recurso novo a partir de São Paulo. Um *app* foi responsável pela disrupção[23] de uma categoria inteira na maior metrópole brasileira.

Quem conta a história da Loggi é o empreendedor Fabien Mendez.

Francês, ele teve uma visão global para entender como funcionaria esse tipo de negócio em nosso país.

A empresa nasceu em dezembro de 2013. Existia a popularidade do *iPhone*, os *tablets* estavam em um dos anos de pico de vendas e o sistema Android tornava-se cada vez mais popular e difundido. Foi o *boom mobile* do Brasil.

Naquela época, nossa nação passava por um cenário de transformações por tudo o que foi elencado até aqui. Fabien viu como eram os procedimentos com *motoboys* em serviços de *delivery*, entregas de correspondências, entre outras inúmeras funções.

"O quadro geral criou oportunidades em três frentes para nós: a regulamentação da profissão do motofretista no Brasil, um setor de logística de entregas ineficiente no país e a maior adoção de

---

23 Recursos disruptivos são responsáveis pelo rompimento de uma norma. Neste caso, a ideia é que *motoboys* eram serviços corporativos. A aplicação popularizou esse tipo de trabalho.

tecnologia pelos brasileiros. Esse conjunto de fatores trouxe o cenário perfeito para a criação de um negócio realmente disruptivo, considerando os padrões brasileiros até aquele momento", ele frisa, citando de maneira metódica como as dificuldades criaram a oportunidade ideal para empreender.

Serviço móvel criado a partir do seu esforço estabeleceria, então, uma ponte entre os três problemas elencados.

"Fizemos uma solução que une tecnologia de ponta com qualidade de serviços para criar uma experiência nova em entregas."

Foi com esse conceito que a Loggi surgiu com seu símbolo na forma de um coelho. A ideia seria reunir os profissionais que fazem entregas de motocicletas, solucionar gargalos nesse sistema de logística e tornar a tecnologia de aplicativos cada vez mais popular num país que estava enxergando o avanço dos *smartphones* em sua população.

Era um serviço novo baseado em problemas óbvios. E ele necessitaria de investimentos para ganhar maior solidez.

Houve dificuldades de financiamento? Quais dificuldades? E como vocês as superaram? Quem investiu? Essas são algumas perguntas que saltam em qualquer negócio no setor e que devem ser feitas ao se examinar um produto desse naipe que entrega um serviço que não era realizado até aquele momento e daquela forma.

Ao criar a empresa em 2013, o fundador da Loggi e seus sócios receberam R$ 2,6 milhões de dez investidores-anjo[24]. A iniciativa de quem quis arriscar com eles daquela forma não inibiu dificuldades

---

24 Expressão do mundo corporativo que serve para designar os investidores de alto risco que acreditam em negócios inovadores. O nome ganhou popularidade entre os anos 1950 e 1980 para caracterizar os fundos de investimentos que incentivaram a formação do Vale do Silício nos Estados Unidos, dando origem a gigantes como a Apple e a Microsoft na computação pessoal.

futuras. Não era exatamente simples propor o fim das burocracias que dominavam o mercado de *motoboys* até aquele momento.

"Buscar investimento para um negócio inovador e disruptivo nunca é uma tarefa simples. É normal ouvir respostas negativas, mas é fundamental persistir. Eu sempre acreditei muito no modelo de negócios da Loggi, isso me ajudou muito a levantar financiamento", ressalta o criador da empresa.

Mesmo com essa ausência de confiança imediata, a Loggi já recebeu mais duas rodadas de investimentos desde então. Em setembro de 2014, houve um aporte de R$ 10 milhões da Monashees Capital e da Qualcomm Ventures, dentro do segmento séries A. E os aportes milionários não deixaram de entrar, tornando o aplicativo um negócio operacional e dando o retorno para quem acreditou na ideia.

Contabilizando as entradas de verba, o investimento mais recente ocorreu em 24 de agosto de 2015, de acordo com Fabien Mendez, com o aporte financeiro de R$ 50 milhões de três fundos de capital de risco.

A saber: Dragoneer Investment Group, Monashees Capital, e Qualcomm Ventures, pertencente à Qualcomm Incorporated (séries B).

Investidores de risco, dispostos a encarar reveses, contribuíram para a circulação de quase R$ 100 milhões dentro da *startup* que criou todo um segmento novo de serviços. E criar essa nova modalidade exigiu estruturação, foco, plano de negócios consistente e o trabalho de executivos que transmitam a segurança necessária para construir essa rede.

Os desafios e as dificuldades na implementação do negócio centraram-se nas burocracias de se ter um *motoboy* atuando fora dos padrões já preestabelecidos.

Sobre isso, Fabien, o fundador, fala com propriedade.

"O sistema de logística de entregas no Brasil não é muito organizado, tanto na rede de *motoboys* nas grandes cidades como no sistema dos Correios de maneira nacional. Isso gera serviços de qualidade baixa a custos elevados. Quando surgiu, a função da Loggi era justamente reorganizar o sistema de motofretes."

E por que reduzir as tarifas?

Ele mesmo responde: "A redução dos custos com entregas permite prover serviços ágeis e mais eficientes através de uma rede de mensageiros regularizados. Justamente por isso, além de reduzir as taxas, buscamos meios de tornar o trabalho dos *motoboys* mais dentro da regularidade jurídica brasileira".

Um desafio que se desdobra em diferentes problemas já bem conhecidos pelo brasileiro médio que vê esses serviços solicitados por empresas, desde a entrega da pizza até o documento em duas vias.

A QUESTÃO DA DOCUMENTAÇÃO

Em relação às mudanças no campo da legislação nacional, governos federal e municipal regulamentaram a profissão do motofretista no Brasil por meio da Lei 12.009/2009. Nesse código, passaram a exigir uma série de documentos e controle de qualidade e segurança, de acordo com Fabien.

Justamente por isso ocorreu uma feliz coincidência que favoreceu a Loggi e o seu modelo de negócio.

"Naquela mesma época, a penetração de *smartphones* vinha se expandindo exponencialmente entre os brasileiros, o que favoreceu criarmos um serviço baseado em tecnologia e aplicativos. Eu tinha imaginado a Loggi como um *app* para viabilizar esse tipo de contato com os profissionais do segmento. Víamos aplicativos e mais aplicativos se transformarem em negócios de milhões cobrando poucos centavos. A nossa chave era realmente fazer o mesmo caminho, mas oferecendo um recurso bastante nichado e específico."

Fabien Mendez também explica como funcionava tudo antes de 2013.

"Antes da Loggi, para pedir o serviço de um *motoboy* era muito difícil. Você deveria ligar para uma agência, esperar eles localizarem um *motoboy* para fazer a entrega e só depois realizar o pagamento em dinheiro. Era uma tarefa bem burocrática que envolvia poucos métodos, uma única forma de pagamento e uma logística ineficiente. Com a Loggi, a coisa mudou, pois o serviço está disponível num *site* ou aplicativo com uma interface simples. Graças aos nossos esforços, é possível pedir um *motoboy* em até cinco minutos, pagar com cartão de crédito ou boleto e ainda ter acompanhamento em tempo real rastreado por GPS."

Apesar de toda a simplicidade do serviço prestado, os *motoboys* não são contratados pela Loggi. Há um recurso de terceirização que facilitou a organização dos profissionais em torno do aplicativo.

No dia 1º de junho de 2009, o Microempreendedor Individual (MEI) foi integrado na Lei Complementar 128/08 e na Lei Geral da Micro e Pequena Empresa (Lei Complementar 123/06)[25]. Na prática, profissionais como costureiras, vendedores e até os próprios *motoboys* passaram a pagar apenas Previdência Social e o ICMS[26] ou o ISS[27], isentos de outros encargos tributários, para exercer seu trabalho como pessoas jurídicas ou em contratos específicos que exigem o CNPJ[28].

---

25 As leis complementares surgiram sobretudo para trazer alguma regularidade para trabalhadores que fazem *freelance* na internet.
26 Sigla para Imposto sobre Operações relativas à Circulação de Mercadorias e sobre Prestações de Serviços de Transporte Interestadual e Intermunicipal e de Comunicação.
27 Imposto Sobre Serviço.
28 Cadastro Nacional da Pessoa Jurídica.

A Loggi foi diretamente beneficiada pelas novas medidas.

Todos os motoristas cadastrados em seu sistema são MEI, devidamente registrados de acordo com a legislação. Os *motoboys* têm autonomia para definirem a própria jornada de trabalho sem um contrato de trabalho fechado. Fabien explica melhor como funciona essa organização com os funcionários.

"Com os motoristas trabalhando dessa forma, a Loggi oferece um sistema de logística inteligente. Os mensageiros conseguem fazer entregas mais rápidas em distâncias menores, aumentando seu rendimento e com a possibilidade de diminuir a carga de trabalho", afirma o executivo. A ideia é justamente aliar a tecnologia móvel dos aplicativos para otimizar um trabalho que lida com demandas e tráfego nas ruas.

O negócio tinha, portanto, o *timing*[29] necessário e a devida validade dentro da legislação brasileira, que passou por modificações nos últimos anos. A Loggi disseminou uma categoria de serviços que não estavam disponíveis para o brasileiro médio.

No entanto, algumas perguntas se colocam.

Geralmente regulações de mercado são encaradas de forma negativa por empreendedores. Alguns executivos argumentam que o governo pode trazer aumento de impostos e limitações para a categoria.

A Loggi apoia a regulamentação e afirmou em entrevistas que seu intuito é tornar o mercado de logística mais transparente. Por que eles agem na contramão da visão de muitos empreendedores?

A resposta deles a essa pergunta vislumbra o Brasil no longo prazo. Desde sua criação, a Loggi só consegue girar a sua operação

---

29 Expressão em inglês para "momento certo".

por meio do trabalho de motofretistas afiliados e devidamente cadastrados, com documentação em dia.

Eles cumprem as exigências do mercado e dos órgãos fiscalizadores. "O nosso objetivo é que o serviço de entregas expressas no Brasil seja cada vez mais profissional e eficiente para consumidores e clientes. Por isso, apoiamos a regulamentação dos aplicativos de entregas e estamos nos posicionando para fazer parte do debate, que começa a caminhar no país neste momento."

A Loggi é, portanto, uma iniciativa que visa à melhoria do Brasil. Nesse contexto, a economia do país é tão importante quanto o seu governo e o seu sistema legal.

E o fundador da empresa, que é francês e economista de formação, tem algo a falar sobre a atual crise nacional que emergiu no mercado.

"A situação atual do Brasil é desafiadora, mas acredito que o país vá superar esses problemas e seguir em frente. A situação é como outras que já ocorreram outras vezes."

FUTURO NOS DRONES?

O transporte não é só um assunto do presente, também faz parte do futuro das sociedades. O petróleo poderá acabar em cinquenta anos, de acordo com um estudo da British Petroleum (BP)[30] de 2014[31]. Combustíveis limpos, cidades mais bem planejadas, preocupações com saúde e ecologia passam a rondar os debates urbanos.

---

30 BP é uma empresa centenária criada em 1908 após a descoberta de reservas petrolíferas no Irã. A BP foi pioneira na exploração do recurso no Oriente Médio.
31 Informação consultada no jornal *O Estado de S. Paulo* em 15 de outubro de 2016. *Link* a seguir: http://www.estadao.com.br/jornal-do-carro/noticias/mercado,petroleo-do-planeta-pode-acabar-em-53-anos,19921,0.htm

A ideia é pensar meios de locomoção mais sintonizados com os novos tempos, prevendo um período de instabilidade ou até mesmo escassez de recursos para a humanidade.

Uma empresa que lida cotidianamente com *motoboys* precisa se inserir nesse contexto tanto quanto uma que lida com caminhoneiros ou mesmo os responsáveis por *apps* com taxistas. Seus negócios serão diretamente afetados se o empreendedor pensar apenas nos serviços atuais.

Fabien Mendez pensa, sim, em reinventar a Loggi nesse processo.

Diz o executivo: "O objetivo da Loggi é ser sinônimo de entregas nas cidades. Isso pode ocorrer com um *motoboy*, van, bicicleta ou mesmo drones no futuro. Nosso objetivo é encantar os consumidores finais de *e-commerce*, varejo, restaurantes com um serviço ágil e surpreendente de entregas".

Por esses motivos, o aplicativo gratuito no iTunes e na loja Google Play e sua equipe desenvolvedora podem, sim, fazer o transporte de cargas até nas ciclovias que recentemente foram implantadas em São Paulo[32]. O serviço pode se reinventar porque o fundador da Loggi acredita na sua empresa como uma "constante evolução" por estar conectada com a inovação tecnológica.

Hoje, o principal empreendimento da Loggi é solicitar um entregador rapidamente, com pouca burocracia nos processos, para atender a sua empresa, restaurante ou até para encomendas pessoais.

Nesse contexto, os motofretistas associados têm a liberdade de atuar de acordo com suas necessidades, aumentando a renda e sendo donos de seus próprios negócios, ajustando até as jornadas

---

32 A criação de ciclovias e ciclofaixas é um traço da gestão do político Fernando Haddad em São Paulo, de 2012 a 2016. A mudança da lógica da capital paulista nos transportes faz parte dos debates sobre o setor no mundo.

de trabalho e o rendimento mensal. Não há uma relação hierarquizada de cima para baixo tradicional na Loggi.

Um serviço desses com drones pode realizar entrega em longa distância e sem o fator humano. Entregas por bicicleta poderiam baratear os custos para o cliente. A Loggi tem, dessa forma, um tipo de negócio que é facilmente adaptável.

E eles já estão pensando no seu próprio futuro.

"Neste ano tivemos um lançamento muito expressivo com o LoggiPresto, que nos permitiu entrar no mercado de *delivery* de restaurantes. Esse é um segmento que registrou um crescimento de 15% em 2015. Sendo assim, como comentei anteriormente, atualmente trabalhamos com três frentes: Corporativo, para empresas; LoggiPro, para o comércio eletrônico; e a nova LoggiPresto", esclarece Fabien.

Para a empresa com símbolo do coelho, o foco no momento é consolidar ainda mais esses serviços, mas buscando novas alternativas de inovação em diferentes frentes possíveis dentro do mercado.

A Loggi faz tão bem seu serviço, que até prêmio ela já conquistou. "O maior reconhecimento que tivemos até agora foi estar na lista da *Fast Company*[33] das *startups* mais inovadoras do mundo. Isso foi no início de 2016", completa Fabien.

AFINAL DE CONTAS, O QUE UM *MOTOBOY* PRECISA PARA PARTICIPAR DO SERVIÇO?

Fabien Mendez resume as principais providências que um *motoboy* precisa antes de entrar na Loggi. São pré-requisitos para entrar numa empresa em que 100% dos *motoboys* afiliados com a

---

33 Revista de negócios e tecnologia fundada em novembro de 1995 por ex-editores da Havard Business Review. É um veículo de referência na área.

plataforma são regularizados perante as leis que regulamentam a profissão.

Para isso, os profissionais precisam adquirir o Condumoto[34] e atender aos seguintes requisitos:

1. Para que eles consigam retirar essa habilitação, é obrigatório passar por curso de 30 horas;
2. É necessário também não ter antecedentes criminais para receber o Condumoto, entre outras exigências mais específicas;
3. O veículo utilizado pelo *motoboy* deve ter a Licença da Prefeitura para fazer o serviço de motofrete;
4. A mesma regulamentação exige que o motociclista possua seguro de vida. Ela também enquadra a moto branca na categoria cargo;
5. O veículo deve também ter equipamentos de segurança como corta-pipa, mata-cachorro e baú.

Com as cinco exigências cumpridas, todos os mensageiros da empresa também devem possuir uma MEI aberta, o que garante o pagamento de impostos, INSS e outras garantias.

Dos drones até as motos, com uma legislação mais flexível, mas fiel às exigências do governo, a Loggi está revolucionando o transporte sobretudo de entregas em São Paulo e no restante do Brasil.

---

34 Condumoto é a licença para prestação de serviço de transporte de mercadorias, feito por motocicletas. Também usa-se a expressão motofrete.

© Cadu Silva

Entrega em casa: Como a **iFood** renovou o *delivery*

Felipe Fiovarante, fundador
da iFood

capítulo

4

Fast-food, pizzarias e comida chinesa? Para pedir no mesmo dia? Esqueça telefonemas e cardápios e saiba como um *software* deixou tais opções na ponta dos dedos.

Abordamos bastante o transporte, tanto de pessoas quanto de cargas de diferentes tipos.

Agora é hora de falar de algo igualmente fundamental: comida.

Ela também está sendo alterada pelos negócios O2O e tornou-se uma nova modalidade no Brasil. Há uma história de praticamente meia década de sucesso da *iFood*.

Com uma proposta simples em um aplicativo intuitivo, o programa agrega comida chinesa, pizza, esfiha e diferentes redes de restaurantes para solicitações de *delivery* pela internet.

E nós entramos fundo na história do negócio para entender como funciona a dinâmica entre a rede e marcas consolidadas do mercado.

"SER EMPREENDEDOR É EXECUTAR E EXECUTAR BEM FEITO"

Num perfil publicado em 9 de maio de 2016 na revista *Pequenas Empresas Grandes Negócios* (PEGN) da Editora Globo[1], Felipe Fiovarante afirmou qual é o seu conceito de empreendedor. "O sucesso veio por ter conseguido reunir um grupo muito talentoso para trabalhar comigo. Ser empreendedor é executar e executar bem feito", diz o executivo.

---

1 Texto escrito pela repórter Priscila Zuini, ex-*Exame*. Acessado em setembro de 2016 no seguinte *link* – http://revistapegn.globo.com/Empreendedorismo/noticia/2016/05/ser-empreendedor-e-executar-bem-diz-criador-do-ifood.html

O fato é que ele imaginaria o aplicativo iFood realmente como um agregador de serviços. E a criação de um programa nesse naipe exigiu a formação de uma equipe que cooperasse entre si.

A iFood tornou ainda mais prática a entrega de comida que era feita por meio de uma ligação telefônica. Sem a necessidade de gastar dinheiro com conta de celular, você abre o aplicativo, seleciona a comida dentro de uma seleção de fornecedores do *app* e já faz o seu pedido, escolhendo a melhor forma de pagamento.

Tudo isso feito num *smartphone* sensível ao toque e sem falar.

Esse produto foi criado por Felipe Fiovarante com ajuda de outras pessoas e inspirado no que já existia no mercado. Fiovarante não era um especialista no segmento, mas alguém interessado na ideia. E sua *startup* cresceu antes do que ele imaginava.

A iFood pegou a onda da expansão de *smartphones* no Brasil e os referenciais corretos para começar a rodar.

Mas precisamos contar uma história antes da empresa brasileira.

UMA INICIATIVA DOS ANOS 1990

"O Disk Cook é uma empresa de tecnologia dona de um *software* de entregas para restaurantes e lanchonetes", explica Felipe sobre uma das principais inspirações da iFood. O dono dessa iniciativa criada em 1997 daria todo o panorama para a criação do *delivery mobile*.

O serviço é uma central telefônica que gerencia pedidos de entregas de refeições em domicílio para restaurantes de alto padrão. A iniciativa teve envolvimento do empresário Patrick Sigrist, que entrou no negócio em 1999.

Patrick manteve o Disk Cook até 2013. O produto cobrava 27% do valor de cada pedido e mais uma assinatura mensal de R$ 370 dos restaurantes vinculados[2]. O empresário, formado em Engenharia Florestal pela Universidade de São Paulo, trabalhou em companhias de diferentes segmentos. Ele foi investidor do BestTables, um sistema europeu que iniciou uma parceria com o Disk Cook para começar a agir no mercado brasileiro. Também foi investidor da Audacy Corporation, de pagamento de informações por satélite. Teve o mesmo cargo em mais duas empresas: Confident Cannabis, de transparência para legalização de maconha para fins tecnológicos, e o Banco Neon, uma iniciativa financeira vinculada ao setor digital.

Patrick Sigrist seria cofundador também de companhias como Cheftime, de *kit* de culinária que já fechou[3], e Rapiddo, iniciativa para logística de documentos[4].

Ele se tornaria o número 2 da iFood, que mudaria a sua carreira e a própria Disk Cook, uma empresa que ainda funcionava na lógica *off-line*.

Não era O2O.

UM PROBLEMA QUE DEU O ESTALO NECESSÁRIO

Empreender, em muitas situações, é um exercício de observação.

A iFood não fugiu dessa regra. Outras pessoas passaram por essa situação que envolveu os dois fundadores da empresa. "Em 2011, nós dois estávamos cansados dos panfletos de *delivery* e dos pedidos por telefone. Por isso, eu e o Patrick Sigrist criamos o *site* iFood,

---

2 Informação do jornal *O Estado de S. Paulo*, no caderno voltado para Pequenas e Médias Empresas (PME), de 2012 – http://pme.estadao.com.br/noticias/noticias,conheca-quatro-historias-que-provam-ainda-e-possivel-ter-sucesso-com-um-restaurante,1722,0.htm
3 Durou entre 2014 e 2015.
4 Iniciativa também encerrada. Durou um ano, encerrado em 2015.

que seria uma evolução do Disk Cook para o mundo digital", explica de maneira direta Felipe Fiovarante.

A dupla tentou encurtar o caminho.

A ideia surgiu em torno do conceito da praticidade que seria pedir a sua comida predileta pela internet, sem precisar pagar algo a mais por isso. Ao contrário do Disk Cook, era uma companhia O2O do começo ao fim.

Em 2012, o *site* da iFood foi parar nos celulares com a criação do aplicativo. "Acredite, a partir daquele momento nós fizemos uma revolução na forma de pedir comida por *delivery*", completou.

"Passamos por muitas dificuldades nos dois primeiros anos por crescer mais do que poderíamos ter suportado. Naquele momento, quase chegamos à falência. A maior virtude da iFood é ter conseguido um time muito talentoso que acredita no projeto. Além disso, arriscamos rápido. Se erramos, erramos rápido e já corrigimos a rota."

Com mais de trinta anos, Felipe teve que encarar a visibilidade grande que teve o seu negócio, a ascensão do concorrente Hellofood, que adquiriu uma empresa chamada Entrega *Delivery* com mais de 400 restaurantes cadastrados. A falta de rentabilidade necessária para disputar um mercado robusto quase levou a iniciativa para a bancarrota[5].

FÓRMULA PARA EVITAR A FALÊNCIA: INVESTIMENTOS E MAIS FUNCIONÁRIOS

O primeiro investidor da iFood foi o fundo de investimento Warehouse em 2012. "Ele já deixou a operação", esclarece Felipe. A *startup* então teria o suporte de uma empresa com história.

---

5   Não pagamento de contas, sinônimo de falência.

"A Movile percebeu o potencial do aplicativo e fez o investimento de R$ 5 milhões em 2013. Os resultados de pedidos cresceram exponencialmente", diz o presidente da empresa, Felipe Fiovarante. No ano seguinte, a empresa fundada por estudantes em Campinas adquiriu a iFood. A Movile tinha 600 funcionários e uma receita estimada em R$ 400 milhões. Era considerada a maior companhia de *apps* para celular no período.

Com R$ 55 milhões[6], a Movile comprou a iFood e o RestauranteWeb, ambas de *delivery*, além da Rapiddo, de fretes, do Apontador, de guias de lojas e serviços, e, por fim, Cinepapaya, de ingressos. A atitude da empresa seria similar à da chinesa Baidu, gigante de buscas. Ela compraria o Peixe Urbano[7].

Felipe foi adiante: "Em 2014, houve a fusão com o Restaurante web, e a Just Eat, que era dona do *site* e do aplicativo, também ficou com um percentual da empresa. Juntos, a Movile e a Just Eat já investiram mais de R$ 125 milhões, que foram utilizados na expansão para novas cidades, cadastros de novos restaurantes, melhorias no aplicativo e *marketing*". A iFood estava entre todos esses aportes de financiamento.

A Movile foi fundada em 1998 por Fabricio Bloisi e por seu colega Fábio Póvoa, sendo os dois alunos de Ciência da Computação na Universidade Estadual de Campinas (Unicamp). A empresa começou vendendo toques de celular e notícias via SMS quando celular era coisa rara no Brasil. Fez isso de Campinas para o restante do Brasil.

Fábio deixou a empresa em 2009. Em 2001, a Movile recebeu investimento do fundo de *private equity* Rio Bravo, que em 2008 vendeu sua fatia para o conglomerado de mídia sul-africano Naspers.

---

6 Informação de uma reportagem da revista *Exame* de 13 de novembro de 2014. *Link* consultado em setembro de 2016 – http://exame.abril.com.br/revista-exame/global-sim-por-que-nao/
7 Este caso será abordado adiante neste livro.

A empresa de Patrick e Felipe começou com cerca de dez pessoas. Em 2013, saltou para quarenta funcionários, um crescimento de 300%. Atualmente, a iFood tem 380 colaboradores definidos pelos seus donos como "muito engajados". "Crescemos muito rápido e fomos precisando de mais profissionais. Por ser uma empresa jovem e de tecnologia e com uma cultura forte, temos uma ótima taxa de retenção de talentos e sempre estamos em busca de mais profissionais que gostam de fazer as coisas acontecerem", esclarece Felipe Fiovarante. E o fundador explica por que escolheu este ramo e não outros possíveis entre as modalidades O2O: "O *delivery* é uma tendência. Todos nós sentimos fome pelo menos três vezes por dia. Facilitar essa experiência é oferecer um serviço que facilita a vida das pessoas. Acreditamos muito neste segmento que tem muito para ser desenvolvido e melhorado".

Para o executivo, a companhia quase faliu no momento certo, antes da compra pela Movile. "O fracasso na nossa história se deu no momento que crescemos a empresa antes de estar pronta para expandir seus serviços. Isso é algo que poderia ter sido alterado. Poderíamos ter feito diferente, com menos riscos", diz, mas sem um tom de arrependimento.

Nem tudo o que aconteceu de ruim foi um completo erro na história da iFood. A depressão foi a lição para continuarem no caminho.

O FUTURO DO *DELIVERY* E A CRISE BRASILEIRA

A iFood não planeja mudar o foco no *delivery* em seu futuro.

A empresa lançou em setembro de 2016 o Spoonrocket. Trata-se de um aplicativo focado nos restaurantes de boa gastronomia que não oferecem o *delivery*. O *app* garante a entrega de qualidade, porque faz a gestão dos *motoboys*, oferecendo uma consultoria aos restaurantes com as embalagens e as sacolas personalizadas.

A ideia é que esse tipo de comida possa chegar ao consumidor com a mesma qualidade que teria caso o cliente fosse comer no restaurante. A iFood, portanto, quer que o *delivery* não fique restrito às refeições de preço baixo ou médio. A tecnologia chegaria à alimentação *premium*[8].

Como é empreender numa crise econômica que chegou no final do mandato de Dilma Rousseff, entre 2012 e 2013, e permaneceu nos anos seguintes? Felipe Fiovarante responde:

"Pedir comida por *delivery* sai mais barato para os brasileiros. Não há o custo do estacionamento, da taxa do garçom e disponibilizamos uma série de promoções para o cliente optar, conforme o seu gosto e bolso. Nesse cenário, não tivemos nenhum mês de retração com o nosso produto".

A iFood tem um plano de expansão nacional. Atualmente o serviço de *delivery* na internet customizável está presente em mais de 100 cidades brasileiras.

Felipe e seus sócios querem levar a iniciativa para fora do Brasil. Eles estão estudando operações possíveis no México e na Colômbia.

Depois da comida, o que falta no O2O?

Fácil responder essa. Falta o cinema.

E não estamos falando da Netflix ou de *streaming* pela internet[9].

---

8   Expressão inglesa para produto mais caro, exclusivo.
9   Dos serviços de exibição de programas de TV e filmes na internet, a Netflix é líder do setor. Mas não se trata de um serviço típico O2O, considerando que é inexistente uma parte *off-line* na iniciativa. É um serviço digital. A Netflix também competiu com negócios físicos, como a rede de locadoras de filmes Blockbuster.

O fim das filas com
Ingresso.com

Mauro Gonzalez, fundador da Ingresso.com

capítulo 5

A história do *app* que tornou sua ida ao cinema um processo mais agradável, menos burocrático e chato. É o negócio criado para aperfeiçoar o relacionamento das pessoas com a sétima arte. E com outras artes.

Ir assistir a um filme é bom, sobretudo com uma boa companhia ou até mesmo apenas para comer pipoca com refrigerante. Mas esse tipo de entretenimento se tornou um problema em grandes metrópoles por uma série de detalhes.

Experimente ir a um *shopping* em São Paulo sem passar transtorno num final de semana próximo a um feriado. Impossível, não é?

Você tem que contabilizar o preço do estacionamento, a fila nele e, depois, uma longa espera para conseguir comprar o ingresso do filme a que deseja assistir.

Essa história de ter uma longa fila para ir ao cinema começou a mudar em 1995 com um *site* que tentou facilitar a vida para o cliente final. Em mais de duas décadas, ele já faz os serviços O2O que ganharam popularidade nos celulares.

Essa é a história do *site* Ingresso.com.

E ele não se restringiria aos cinemas. Seu negócio entraria de cabeça também em espetáculos em geral e em *shows* musicais.

UM PROBLEMA, E JOVENS NO RIO PARA RESOLVÊ-LO

A empresa começa antes do *boom* da internet e da supervalorização de quem empreendeu na área. E carrega em si uma origem que lembra as companhias de garagem dos anos 1970 e a capacidade criativa de universitários norte-americanos de 1960 para frente. No entanto, o líder na venda de *tickets* nesse segmento O2O teria sede no Rio de Janeiro, e não em São Paulo como a maioria dos demais.

Eram quatro estudantes do curso de Tecnologia da Informação da Pontifícia Universidade Católica do Rio de Janeiro (PUC-Rio) que decidiram dar origem a um negócio juntos. Tinham no máximo alguma experiência com casas de *show*. Um deles, Mauro Gonzalez, diz como tudo começou.

"Nós decidimos começar a empresa num escritório emprestado de um conhecido nosso no centro do Rio de Janeiro. Entramos em contato com associações de cinema para começar algo que era inteiramente novo e estava no mesmo rastro do crescimento da própria internet", explica Gonzalez, um dos fundadores e diretor titular da empresa desde 2005.

O projeto do quarteto carioca era informatizar os cinemas, contribuindo para aumentar a receita das salas com vendas de *tickets*. Era algo ainda anterior ao comércio digital. Para criar a demanda no meio *on-line*, eles prepararam as empresas para então avaliar a criação de serviços de venda de ingressos. A ideia era, acima de tudo, tornar as bilheterias adaptadas ao século XXI.

Um serviço básico de fornecer computadores e digitalização de processos deu o pontapé inicial para tudo começar.

Diz Gonzalez: "A gente conseguiu formar um relacionamento com os distribuidores e foi assim que lançamos o *site* da Ingresso.com, pioneiro em venda *on-line* em 2000. No primeiro final de semana, nós vendemos seis ingressos. Todos eles foram vendidos para amigos".

Seis clientes foram a marca inicial do serviço. Tem toda a cara de ter sido um negócio ruim, fadado ao fracasso, correto? No entanto, é necessário considerar algumas questões presentes no último ano do século XX. As circunstâncias eram muito diferentes de 2015 ou 2016, quando já tínhamos serviços O2O e um *e-commerce* consolidados em diferentes níveis.

Época de internet discada, a conexão era cara, lenta e difícil para se provar eficiente nos negócios. Existia também o que era definido como "barreira comportamental". Enquanto a rede era utilizada em escala nos Estados Unidos e a banda larga já era popularizada em 2004[10], a tecnologia brasileira precisou de mais tempo para deixar de ser incipiente.

"Muita gente tinha receio de propaganda pela internet porque na verdade a gente ia controlar uma parte do movimento financeiro dos cinemas. Era um mundo todo novo", completou Mauro Gonzalez. Além da sua formação na PUC-Rio, ele era formado em Administração na Universidade Estadual do Rio de Janeiro (UERJ).

O CAMINHO DO DINHEIRO PARA EXPANDIR UM NEGÓCIO EM VINTE ANOS

Mauro Gonzalez não abre os números e nem muitos detalhes, mas explica como conseguiu tornar viável um negócio experimental: "A gente teve um aporte financeiro de um grupo de mídias no final de 1999, que construiu a nossa rede para integrar os cinemas. A internet foi, assim como nós, tornando-se mais conhecida, ganhando maior adoção e as pessoas passaram a entender como poderiam comprar ingressos nela. Depois do aporte inicial, não tivemos novos investimentos. Crescemos com as próprias pernas e, diferente do que muita gente pensa, a lucratividade veio rápida".

---

10 A banda larga começou a ser difundida no mesmo ano, mas ela só atingiu patamares mínimos de popularização seis anos depois. Em 2014, metade do Brasil estava conectado, sobretudo com os *smartphones*, segundo o Comitê Gestor da Internet (CGI.br) em nosso país.

Esse foi o caminho do dinheiro. Mas há mais alguns detalhes.

A Ingresso.com sempre teve duas fontes de receitas distintas. Ela se equilibrou na informatização das bilheterias dos cinemas. Eles montaram a estrutura, que tirou os locais do século passado, e isso sempre foi outra fonte de receita para a empresa. É aí que entra também a venda de ingressos pela internet, mas ela nunca esteve sozinha. "Justamente neste equilíbrio nós nunca tivemos o problema de estrangular as nossas finanças. Cursei Tecnologia da Informação na PUC e nunca pensei que trabalharia com bilheteria de cinema ou mercado O2O no Brasil. Mas nós tivemos uma oportunidade real com a Ingresso.com. Acredito que estávamos no lugar certo e na hora certa para criar esta empresa", explica Mauro.

DE MENOS DE DEZ PARA UMA CENTENA DE PESSOAS

O *site* e os serviços com as salas de cinema começaram com quatro pessoas e vendendo apenas seis ingressos pela internet. A Ingresso.com evoluiu, então, conforme cresciam a informatização das bilheterias e a adoção das compras *on-line*. O número de funcionários expandiu de forma gradual.

Diz Gonzalez: "Não tivemos grandes picos de contratação visando alcançar somente um resultado posterior. A gente nunca curtiu este tipo de *approach*. Fomos muito pé no chão e hoje temos em torno de 100 pessoas envolvidas no negócio".

Eles foram, portanto, de menos de uma dezena para mais de uma centena de pessoas tocando um *site* pioneiro no *e-commerce* e que agora está expandindo em vendas via celular. É um serviço legítimo *on-line to off-line*.

Grandes redes como a Cinemark[11] e outras enxergaram a comercialização de *tickets* como um bom negócio. É muito bom para o vendedor pela economia de custo na distribuição e nos processos.

A Ingresso.com de fato diminuiu as filas nos *shopping centers*. O *ticket* permite que você vá diretamente para a sala sem passar pelo guichê. É um serviço interessante para o cliente deles.

Mauro Gonzalez explica como funcionou essa lógica que catapultou sua própria empresa. "A rede da Ingresso.com tende a antecipar a decisão de compra do *ticket* de cinema. Pode acontecer algum imprevisto e o surgimento de outra opção de entretenimento nas compras físicas. Quando a pessoa compra pela internet, a tendência maior é manter sua decisão já tomada. Essa segurança é interessante para os comerciantes tanto em termos de custo quanto em termos de receita."

A EMPRESA, A CRISE E O FUNDADOR

A sede da Ingresso.com fica no centro do Rio, perto da Igreja de Nossa Senhora da Candelária e do Teatro Municipal. Fica perto dos bairros do Catete, da Glória, do Flamengo e de pontos turísticos fundamentais da capital fluminense. Em tempos de recessão na economia, a impressão que se tem é que é quase impossível de se investir no Brasil.

Mas o negócio de Gonzalez parece andar na contramão de uma tendência nacional.

"O nosso setor, até agora pelo menos, está salvo da crise econômica brasileira. A gente acredita que por conta da atual situação as pessoas postergam a compra de bens duráveis. A pessoa deixa de comprar uma geladeira, um fogão, um carro ou o financiamento de um imóvel

---

11 Uma das três maiores redes de cinema do mundo, fundada no Texas, Estados Unidos, em 1984. Tem trinta e dois anos de existência e está próxima de quase 500 localidades distintas.

pelas naturais dificuldades em se obter crédito[12]. O crédito está mais caro hoje em dia, não é mesmo? Há um medo também de adquirir algo que não poderá ser pago. Então as pessoas acabam segurando um pouco o dinheiro no bolso, e o cinema é uma opção de entretenimento das mais baratas que existem. Pra gente, a crise econômica não está afetando muito. O que está acontecendo é que os cinemas estão comprometidos para abrir novas filiais ou estabelecimentos. Isso não está mais acontecendo como antes", diz o fundador.

Mauro Gonzalez diz que a empresa agora está focando nas mesmas salas de exibição de filmes para dar uma experiência ainda melhor a esse segmento. A ideia é melhorar o serviço no momento da decisão de compra. Diz Gonzalez: "É necessário existir mais elementos sociais ajudando as pessoas no momento de adquirir o ingresso. É necessário haver uma produção de conteúdo que conduza essa compra".

O fundador diz que não mudou de vida com a empresa. Continua vivendo no Rio de Janeiro e dá crédito ao acaso para o seu sucesso. "E tem muito, mas muito mesmo, trabalho envolvido com a Ingresso.com. O que conquistamos foi aos poucos e era esperado. Não dá pra ser deslumbrado com a quantidade de coisas a se fazer para chegar até o ponto em que estamos, fazendo isso dar certo."

AQUISIÇÃO POR UMA COMPANHIA MAIOR

Em 2010, a Ingresso.com faturou R$ 4 milhões, vendendo ingressos tanto para cinema quanto para *shows*. Em maio de 2011, a empresa foi comprada por R$ 8,81 milhões, envolvendo a aquisição de 51.534

---

12 O governo Dilma Rousseff, que durou de 2011 a 2016, foi conhecido por incentivos e desonerações fiscais no setor automotivo e em produtos da Linha Branca, o que inclui geladeiras e eletrodomésticos. Foram anos de políticas de incentivo ao consumo.

ações ordinárias e 21.875 ações preferenciais. A B2W foi a responsável pela operação, sendo já dona da Submarino, para explorar um mercado com um bilhão de reais de potencial, segundo a *Exame*[13].

De acordo com a agência de notícias Reuters[14], a dona da Submarino vendeu a empresa de Gonzalez por R$ 280 milhões para a Fandango Media Group, conglomerado norte-americano. A aquisição aconteceu em setembro de 2015 e o Cade, autarquia que regulamenta compras e aquisições no Brasil, aprovou a operação no mês seguinte.

"A Fandango é uma empresa da área, que conhece sobre internet, já fez coisas nos EUA que sonhamos em fazer. Isso inclui a produção de conteúdo e *reviews*[15], o que é uma boa pra gente", complementa Mauro Gonzalez.

Ou seja, a empresa, originalmente do Rio de Janeiro, já tem um pé internacional. E gira milhões de reais em vendas *on-line*.

É o primeiro passo para acabar com filas físicas, aquelas que costumam ser intermináveis.

---

13 Fonte, consultada em dezembro de 2016 – http://exame.abril.com.br/negocios/n0079454/
14 Informação disponível na internet neste *link* – http://br.reuters.com/article/businessNews/idBRKCN0RO2MP20150924
15 Do inglês, termo equivalente a resenhas.

© Cadu Silva

Organize seu dia de beleza com a **Vaniday**

Cristiano Soares, o criador da Vaniday

O salão de beleza possível no mundo digital. Agendar uma depilação, maquiagem, operação estética e outros serviços similares sem precisar depender de determinados salões, comparando os serviços, é a proposta.

A sede da Vaniday fica num prédio de luxo em frente ao Parque Villa-Lobos, na zona oeste de São Paulo. Embora seja um escritório pequeno, típico de uma *startup*, ele esconde uma história de sucesso que soube trazer um mercado altamente informal e sem conexão do mundo *on-line* para um *hub* de acesso eficiente.

Cristiano Soares criou o empreendimento do zero em Belo Horizonte, muito distante do ecossistema forte que encontrou na capital paulista.

E a ideia de criar uma rede para serviços de beleza não surgiu de uma iniciativa previsível ou de um sonho antigo.

Foi por acaso.

BRAINSTORM QUE DEU CERTO

A data de nascimento oficial da empresa Vaniday é 31 de março de 2015, mas a ideia começou praticamente um ano antes. Segundo seu criador, foram praticamente duas iniciativas que surgiram ao mesmo tempo. "Sempre trabalhei na área de vendas, na área comercial e já fui gerente da Adcos de Belo Horizonte na área de cosméticos. Minha irmã já teve salão de cabeleireiro, meu pai teve distribuidora de serviços de beleza. Para ir direto ao ponto, eu fazia MBA na FGV[1],

---

1   Fundação Getúlio Vargas, escola voltada para economia e negócios.

em *marketing* digital, e trabalhava numa empresa geradora de *leads*[2] alemã chamada eGENTIC. Lá no curso apareceu uma chance de participar do evento Startup Weekend[3]."

Cristiano fez um amigo chamado Gabriel, com quem conversava bem tarde, às 23h30, quando terminava o curso de MBA naquele dia. Os dois discutiam ideias que eram vistas nas aulas e surgiu o convite para participar do encontro para novos negócios.

O criador da Vaniday não tinha o segmento de beleza no seu radar. Estava desenvolvendo um *e-commerce* próximo do emprego que já tinha e da empresa que estava financiando o seu MBA com *marketplace*[4] próprio.

O que estava na cabeça de Cristiano era um empreendimento no setor *fitness*[5] e de moda. Ele já estava vendo com fornecedores como iria montar seu próprio negócio.

Com isso acontecendo, Gabriel e ele participaram do Startup Weekend. Foi ali que as coisas mudaram.

"Vamos apresentar alguma coisa no evento? Nem ele e nem eu tínhamos algo pronto. Mas senti que ali nós deveríamos exercitar a nossa capacidade de defender uma ideia."

O que eles pretendiam fazer, *a priori*, era apenas conhecer o evento. "Fomos para ver o que seria."

Sem saber no que daria, foram lá e fizeram uma apresentação.

---

2   Termo em inglês para "geração de cadastros para clientes". A empresa é de *e-commerce*.
3   Evento internacional com sede em diversos países, assim como o Social Media Week. O foco, no entanto, é em pequenas empresas ou negócios em surgimento.
4   Expressão em inglês para o ecossistema de competição de um determinado produto ou serviço.
5   Categoria esportiva de produtos.

"Olha, Cris, nas nossas conversas depois das aulas de MBA, falamos sobre vários negócios e *startups* com finalidades distintas. Você está lançando a sua iniciativa e minha namorada é maquiadora profissional. Por que não fazer algo para divulgar melhor o trabalho dela? Cris, apresenta a ideia do que conversamos no evento", me disse o Gabriel na época.

Cristiano Soares não tinha ideia que sua vontade de empreender, a ponto de procurar referências em ramos tão distintos quanto bem-estar físico e o segmento *fashion*, seria o motor necessário para fazer a iniciativa do amigo decolar. E seria muito além da apresentação que eles fariam no Startup Weekend de 2014.

"Pensamos em montar um aplicativo para divulgar os profissionais de beleza vinculados com maquiagem e outras atividades desse setor. Discutimos várias vezes antes de apresentá-la no evento. Durante as cinquenta e quatro horas de apresentações de ideias para *startups*, nós ficamos em segundo lugar entre as melhores iniciativas para começar um bom negócio. Muita gente no nosso lugar ficaria feliz com aquele reconhecimento de algo que não estava claro sequer para nós dois. Mas eu fiquei puto, porque queria mesmo que a gente fosse o primeiro."

Mas foi realmente ruim ficar na vice-liderança? O próprio Cristiano responde:

"Na verdade, foi ótimo ter ficado em segundo lugar. O segundo lugar foi necessário para que a gente não tivesse tanto reconhecimento ou vitrine e nos deu espaço suficiente para repensar a própria ideia. O mais importante é que ainda não tínhamos desenvolvido nada de substancial naquelas cinquenta e quatro horas. Isso acabou nos dando espaço para consolidar todos os pontos daquele argumento".

A dupla resolveu parar para pensar no que tinha elaborado em abril de 2014. Cristiano acreditava que o *pitch*[6] que eles apresentaram poderia desembocar numa iniciativa de fato profissional.

---

6   Apresentação de um negócio. A expressão também vem do inglês.

"Eu realmente botei fé naquela iniciativa e eu sou um cara de colocar a mão na massa. Sou bom fazendo isso. E não queria que aquilo ficasse apenas no terreno das ideias. E eu me conheço: se eu pegar algo pra fazer, eu vou lá e faço. Penso sempre em quais são os passos para atingir o sucesso."

A Vaniday começou a crescer a partir daquele *brainstorm*[7].

PEDIDO DE DEMISSÃO E FOCO

Gabriel trabalhava na área de *design* de produto como *apps* e sistemas, diferente da geração de cadastros em *e-commerce* de Cristiano. Ele fez as telas da primeira versão do programa e a dupla chamou um programador para o projeto.

Cristiano Soares foi atrás de salões de cabeleireiros para firmar as primeiras parcerias, incluindo a L'Oréal. "Queria saber como era o mercado novo que eu estava realmente me metendo." Ele fez isso ao tirar férias de uma semana do serviço.

Um dos parceiros prospectados foi a Adcos de dermocosméticos para esteticistas e os clientes finais. Foi lá que ele encontrou a primeira pessoa interessada em investir em sua ideia.

"Fiz um plano de aporte para um ano de empresa e vi que precisava de R$ 110 mil para sustentar a operação. Isso incluiu montar equipe, organizar escritório e ficar 100% no negócio. Ele me disse que só investiria se tivesse o Cristiano inteiro no negócio. Ele sabia que meio Cris não funcionaria."

A possibilidade de sustentar sozinho o negócio deu a motivação suficiente para Cristiano pedir as contas no serviço que estava prestando antes. "Acabou a reunião e eu pedi demissão no mesmo dia.

---

7   Termo em inglês para reuniões de ideias ou de negócios.

Antes disso, eu liguei pra minha esposa. Falei: 'Roberta, aconteceram todas essas coisas e eu quero saber: Você está comigo pra entrar nessa?'. A gente vai sair do trabalho em que estou, eu vou ter que pagar uma multa porque eles financiaram o meu MBA, então será necessário bancar o curso de volta. Pra isso, a gente vai ter que vender o nosso carro e mudar de apartamento, porque esse não será possível para nos manter. Não vai ter seguro-desemprego em pleno começo de crise. E ela me respondeu: 'Eu tô com você. A gente não precisa de muito pra viver não. Se você tem certeza, faça isso agora, senão você vai me culpar por não ter optado por isso'."

Corajosa, Roberta deu a Cristiano sua oportunidade de focar num negócio só dele baseado em uma ideia que já estava sendo reconhecida pelo mercado.

O antigo empregador achou que Cristiano Soares tinha enlouquecido ao tomar aquela decisão. "Paguei uma multa de mais de R$ 12 mil por conta do contrato de estabilidade e vendi meu automóvel para mudar de vida, além de trocar o apartamento. Saí com uma mão na frente e outra atrás, devendo dinheiro e cartão de crédito."

Cristiano recomendou que Gabriel permanecesse no seu trabalho por uma questão estratégica para criar sua *startup*. "Dos ferrados, basta um de nós. Permaneça no seu emprego até eu conseguir a verba suficiente para nos sustentar. Se dois estiverem, ferrou."

Depois de falar com o sócio, ele foi até a varanda da sua ex-empresa e ligou para o investidor. "Agora você tem o Cristiano inteiro. Vamos conversar?"

Ele tinha uma renda razoável no trabalho e passou a ganhar somente 20% do salário anterior, de R$ 7,5 mil. Eram R$ 1,5 mil mensal para cada sócio nos primórdios da Vaniday.

CAPÍTULO 6 ▪ ORGANIZE SEU DIA DE BELEZA COM A VANIDAY

As circunstâncias da demissão de Cristiano Soares mostram que a sociedade brasileira enfrentava um contexto delicado. Em 2014 estavam acontecendo as eleições presidenciais no país, com Dilma Rousseff (PT), Aécio Neves (PSDB) e Marina Silva (PSB) liderando as intenções de voto. Dilma venceu a disputa por 54.501.118 votos contra 51.041.155 de Aécio. A margem entre os dois concorrentes foi pequena: 51,64% ante 48,36%.

A votação acirrada aumentou o peso do retrocesso da economia brasileira em 2015 de 3,8%[8]. No último ano de mandato de Lula, 2010, o PIB expandiu 7,6%. Desde aquele período, o crescimento com Dilma perdeu fôlego: 3,9% (2011), 1,8% (2012), 2,7% (2013) e 0,1% (2014).

Com isso, vieram movimentos sociais que pressionaram o *impeachment*[9] da presidente da República em plena crise, entre maio e agosto de 2016.

A Vaniday nasceu em plena crise. Não aproveitou o *boom* de matérias-primas da era Lula e nem o primeiro mandato mais suave de Dilma. A ideia de desenvolver um *hub* para negócios de beleza prosperou justamente num momento altamente dramático da vida nacional e da iniciativa privada, problemático para o empreendedorismo, neste processo.

"MONTEI UM ESCRITÓRIO NA CASA DA MINHA MÃE"

"Tudo o que te contei aconteceu em Belo Horizonte, Pedro. Decidi, então, montar um escritório na casa da minha mãe, num

---

8   Os dados são do IBGE.
9   Termo em inglês para o processo de impedimento do presidente em pleno exercício do cargo.

antigo quarto onde eu dormia. Fui na Leroy Merlin, comprei madeira e construí mesas sozinho. Fiz isso porque não queria gastar nem na compra disso logo naquele começo. Comprei, lixei, pintei e montei o escritório sozinho. Enquanto tudo isso acontecia, eu e Gabriel conseguimos dois desenvolvedores para tocar a *startup*. Paguei, também, R$ 1,5 mil para cada um deles."

Os investidores aportavam entre R$ 10 mil e R$ 15 mil periodicamente para a *startup* sobreviver. Em um mês, a empresa, instalada na casa da mãe de Cristiano, desenvolveu um programa MVP[10] trabalhando dezoito horas por dia. Eles conseguiram, juntos, três mil *downloads* de maneira orgânica naquele protótipo.

"Para tudo, dizia na época. Eu tinha feito aquele trabalho para 300 *downloads* e chegamos a 3 mil. Nosso sistema não iria aguentar e eu não queria queimar o nosso filme de cara."

A atitude de Cristiano diante do negócio forçou-o a contratar mais um funcionário naqueles primeiros dias. A equipe também telefonou para 1.200 salões de beleza para abrir a frente de cadastros dos negócios.

As ligações se transformaram em uma pesquisa da empresa para entender a atual situação dos fornecedores. Instalados na casa da mãe do fundador da iniciativa, os integrantes da companhia já começaram a entender que precisavam compreender a situação do setor.

A proximidade de Cristiano aos salões começou naquele momento, com incentivo de seus financiadores, e permaneceu até os tempos atuais do negócio.

"Ninguém faz nada sozinho. Sentamos eu e o time para tocar isso. No prazo de três meses fizemos o trabalho. Em dezembro de

---

10 Sigla em inglês para Produto Viável Mínimo (ou *Minimum Viable Product*).

2014, fizemos um *hard launch*, uma estreia mais pesada. Na época, isso significava gastar R$ 50 por dia no Facebook (risos) para divulgação. Batemos 12 mil *downloads* e 40 mil profissionais cadastrados. Dentro do aplicativo, tivemos a circulação de 8 mil fotografias sem gastar muito dinheiro com isso. Tudo isso foi orgânico, sem apoio de grandes marcas."

A lógica do funcionamento foi a ideia de uma pessoa indicar para outra. Foi dessa forma que as coisas realmente deram certo do ponto de vista de possíveis clientes e fornecedores. Eles não fizeram uma aposta às cegas e foram, sobretudo, compreendendo o seu modo de trabalho a partir de um investimento mínimo de R$ 10 mil mensais e foco integral no negócio.

A iniciativa de Cristiano lembra muito as empresas de garagem que se popularizaram nos Estados Unidos nos anos 1970, sobretudo nos casos da Apple e da Microsoft[11] em tecnologia e microcomputação.

No entanto, ele não ficaria nessa linha do *do it yourself*[12]. O aporte financeiro e os *downloads* orgânicos mostravam que o *app* tinha tudo para estrear oficialmente em grande estilo, muito além dos resultados adquiridos em seus primeiros testes.

A CONCORRENTE QUE SE TORNOU ALIADA

"Estava um dia trabalhando de cueca, no apartamento menor que comprei, e um amigo meu que trabalhou na HelloFood disse que tinha uma notícia ruim para me dar. Ele me falou: 'A Rocket Internet vai lançar um aplicativo igual ao seu'. Perguntei se era sério e ele

---

11   A Apple foi fundada em 1976, enquanto a Microsoft surgiu em 1975.
12   Mandamento do *punk rock*, gênero musical que também se popularizou mundialmente a partir de 1977. É a famosa expressão "faça você mesmo" do inglês.

reforçou que era, falando também sobre os dois desenvolvedores que estavam começando a pensar no que fazer. 'Eles querem lançar, mas não sabem exatamente por onde começar'."

A Rocket é uma empresa alemã fundada em 2007 por Oliver Samwer, atual presidente. A companhia é investidora e fomentadora de negócios *on-line* e que lidam com novas tecnologias. Zalora, FoodPandae e EasyTaxi são exemplos de empresas que eles incentivaram e tratam como iniciativas de sucesso no Brasil e no mundo.

A corporação tem como clientes o percentual de 74% que os acessam via celular, além de atingir potencialmente pelo menos 5,4 bilhões de pessoas[13]. O mundo todo tem 7 bilhões de pessoas. Ou seja, a empresa acaba sendo um símbolo da própria internet como conexão entre as populações.

A notícia do amigo de Cristiano Soares fez com que ele caminhasse por sua casa inquieto. Ele sabia que precisava responder aquela iniciativa à altura. E tinha que tomar cuidado com os próximos passos para sua iniciativa não naufragar na praia.

"Pedi uns vinte minutos na linha, pensei e perguntei quem era o cara que mandava na Rocket. Ele me respondeu: 'Cara, é o Rodrigo Sampaio'." A frase foi suficiente para Cristiano fazer buscas na internet. No *site* LinkedIn[14], Cristiano encontrou o perfil do sócio de Rodrigo. "Mandei uma mensagem pra ele até um pouco agressiva, falando o que tinha feito, que eles não tinham nada parecido em seu portfólio e que eu queria uma reunião com a dupla naquela semana."

Meia hora depois, Cristiano Soares já teve uma resposta. "Nem esperava que ele fosse conversar comigo, ainda mais com o tom que usei na conversa."

---

13   O dado é da própria empresa.
14   Página para perfis profissionais na internet. Funciona como rede social.

O sócio respondeu: "Estou mandando sua mensagem pro Rodrigo Sampaio". Uma hora depois, o próprio Rodrigo redigiu uma mensagem: "Mande-me uma mensagem no meu *e-mail* pessoal e na minha correspondência corporativa. Vamos marcar uma reunião para amanhã, ao meio-dia?".

Em pouco mais de uma hora de trocas de mensagens na internet, Cristiano conseguiu conter o único concorrente que realmente tinha capacidade de esmagar o seu próprio negócio.

"Quando lançamos o nosso *app*, eu dizia pra fazer isso porque ninguém tinha feito isso antes. A Rocket é uma empresa que está investindo em diferentes setores e eu tenho certeza que ela entrará nisso", dizia Cristiano Soares aos sócios. Mas mal ele esperava e a possível concorrente já estava com uma iniciativa própria em menos de um ano das suas operações.

Para evitar esse atropelo, ele marcou uma reunião com um dos principais executivos da marca no Brasil no dia seguinte, quando descobriu que ela colocaria sua ideia para funcionar em outro formato. Cristiano foi então até a rodoviária e comprou uma passagem de ônibus de Belo Horizonte até São Paulo para ter a conversa.

"Viajei de madrugada e com uma troca de roupa na mala para fazer assim que chegasse a São Paulo."

A reunião não aconteceu ao meio-dia. Um atraso nas atividades dos executivos da Rocket jogou o *meeting* para as 18 horas. "Disse que tudo bem para eles. Eu já estava ali esperando mesmo, não é?"

Apesar do tom quase agressivo na primeira abordagem, Cristiano e Rodrigo se deram bem e abriram as cartas um para o outro. A Rocket apresentou ao futuro dono da Vaniday o time que queria criar uma aplicação no setor de beleza. "Só topo me juntar se puder trazer meu time de Belo Horizonte", foi a condição imposta pelo empreendedor mineiro. "E nós queremos você", diz o executivo Rodrigo Sampaio.

O que realmente contou na reunião, da parte de Cristiano, foi a *expertise* do seu grupo, acumulada em meses de boas experiências, e sua base de clientes. Tudo isso foi algo realmente atraente para a Rocket começar a trabalhar nesse segmento. E a atuação deles era pensando numa plataforma mais global e menos regional.

A Rocket já tinha desenvolvedor de aplicativos próprios, mas abriu uma exceção para Cristiano Soares. "Os profissionais que estão com você são bons?", perguntou Rodrigo. Com a resposta afirmativa, emendou: "Então estão todos contratados. Não preciso nem vê-los. Confio na sua palavra".

Todo o time de Cristiano veio até São Paulo de ônibus.

Para quem é empreendedor solo, era claro para todos ali que a Vaniday estava "vendendo a alma para o diabo". A empresa passaria a ser integrante de uma corporação muito maior e mais robusta do que a sua infraestrutura de *startup*. Mas aquela decisão foi a mais correta diante do momento delicado da economia num mercado que mal tinha se formado.

Cristiano estava vendendo o "seu filho" para novas mãos.

Mas as portas abertas pela Rocket não se abririam novamente para ele naquele momento. Em 2015, com Dilma Rousseff assumindo seu segundo mandato presidencial, os investidores internacionais tinham medo de aportar recursos no Brasil. E o financiador inicial do negócio não tinha mais dinheiro para aplicar entre R$ 10 mil e R$ 15 mil no empreendimento crescente de Cristiano Soares. Os amigos desse colaborador também não tinham como ajudar.

O que a Vaniday tinha eram R$ 20 mil em caixa. Era uma verba que acabaria em dois meses ou menos.

Cristiano estava numa rua sem saída quando a Rocket apareceu.

"Na minha cabeça, 100% de nada é nada. Por isso abrimos mão do controle da empresa para fazer parte de algo grande. Coloquei isso para todos que haviam trabalhado comigo naquele período e eles toparam praticamente imediatamente."

Em duas semanas de contato com Rodrigo Sampaio, Cristiano e equipe estavam morando em São Paulo.

NOMES E ESTREIA OFICIAL – COM FILIAIS FORA DO BRASIL

Quando estava em Belo Horizonte, o aplicativo de Cristiano Soares se chamava Buky na fundação. Depois trocou de nome para Glyn, que não podia ser registrado fora do Brasil. O nome Vaniday surgiu como uma junção dos termos *vanity* e *day*[15]. A ideia por trás da nova nomeação do negócio era tanto lançar um produto de sucesso no nosso país quanto globalmente. "O nome surgiu do nosso time de *marketing* e traduzia muito bem a perspectiva de 'cuidar de você mesmo' por um dia."

A Vaniday estreou oficialmente no dia 31 de março de 2015. Cristiano fundou, na prática, sua empresa novamente, enquanto seu primeiro sócio, Gabriel, entrou com participação em outros empreendimentos da Rocket. "Pivotamos[16] o negócio naquele período. Lançamos com um modelo que agregava salões de beleza e profissionais autônomos juntos. Entrei como sócio minoritário e diretor de operações no Brasil. Em pouco tempo, lançamos filiais no Reino Unido, na Itália e na França. Depois fomos para a Rússia", explica Cristiano Soares.

---

15 A tradução literal é "dia da vaidade".
16 "Pivotar" um negócio significa mudar radicalmente um negócio.

As filiais inglesa, francesa e russa da Vaniday acabaram fechando em apenas dois meses de operação. Atualmente, a empresa está no Brasil e mais quatro nações: Itália, Emirados Árabes, Cingapura e Austrália.

"Encerramos as operações naqueles lugares porque já existiam competidores fortes. Decidi brigar com minha equipe em locais que careciam de serviços no segmento", diz. A lógica era a mesma da fundação da empresa: jogar com condições de se tornar líder do setor de beleza.

No mês de agosto, a empresa recebeu um aporte de 15 milhões de euros, equivalente a R$ 57 milhões. Foi um valor muito superior aos R$ 100 mil iniciais e correspondeu à progressão da companhia fora de Belo Horizonte, crescendo com seus braços de atuação dentro de São Paulo. Todos os países com a marca Vaniday foram beneficiados com o investimento, que fortaleceu toda a operação de expansão do negócio.

A base de salões em que a empresa atuou pulou de 100 para 1.006 num período de dois meses. Atualmente a Vaniday tem cerca de 3 mil salões cadastrados em seu sistema de atendimento. "Hoje a ideia não é aumentar o nosso número de parceiros, mas sim fortalecer o relacionamento."

POLÍTICA DE PARCERIA COM SALÕES DE BELEZA

"Hoje só salões de beleza entram na Vaniday. Os profissionais autônomos foram retirados do *app*. Em julho nós 'viramos a chave' para os investidores que queriam investir de maneira robusta no negócio, por acreditarem na iniciativa. Atualmente estamos no período de fortalecimento da expansão nos salões que fizemos naquela época", diz Cristiano sobre os passos que foram dados depois da estreia com o impulso da Rocket.

A ideia dele era fazer diferente desde o primeiro dia, e isso se manteve mesmo quando o dinheiro surgiu para sustentar a expansão do negócio. Por isso, seu foco transferiu-se da sobrevivência do empreendimento para os salões de beleza envolvidos. Com esses profissionais em jogo, não fazia sentido oferecer serviços individualizados.

"O que tentei foi justamente humanizar a relação com cabeleireiros, manicures e todos os profissionais envolvidos num salão. Queria que soubessem que somos parceiros, não meramente contatos digitais. A Vaniday está aqui pra te ajudar. Falo tudo isso porque os serviços de beleza e o seu mercado são muito *off-line*."

Para realmente reforçar essa parceria, Cristiano Soares elencou algumas atividades que formalizou com os profissionais parceiros.

"Realizamos *workshops* de conhecimentos digitais, não só para utilizar o aplicativo Vaniday. Em nossas aulas, ensinávamos a utilizar o Facebook, o Instagram, como fazer publicidade fora da rede, melhorar o ambiente de trabalho. Ensinamos a detectar o que era tendência para o cliente e o que não era. Realmente ajudamos essas pessoas e posso dizer que somos referência quando falamos em serviços de beleza. Eles nos ligam e perguntam o que precisam para cobrar direito e outras coisas. Ajudo os salões nesse tipo de assistência. Meus competidores não fazem isso", enfatiza.

A política de parceria da Vaniday não o deixa apenas como um serviço de gestão das atividades vinculadas ao setor de beleza. A ideia é realmente estar por dentro do negócio do fornecedor e permitir a melhor maneira de oferecer os recursos do salão.

Essa proximidade refletia a própria personalidade de Cristiano e sua história. Com uma família que trabalhou com serviços de beleza, ele sempre sentiu identificação com aqueles profissionais. Seu *app* tinha como intuito unificar aqueles trabalhadores em prol de melhorias para sua própria categoria.

Em sua temporada na Adcos, Cristiano Soares entrou de cabeça no negócio da estética para entender com o que trabalharia no futuro. Ele fez uma imersão no mercado. "Penso o tempo inteiro que tenho que estar próximo deles."

Tradicionalmente, salões de beleza, inclusive em São Paulo, são serviços fora da internet, *off-line*. Alguns estabelecimentos oferecem rede aos clientes, mas nada além disso, na média. Por esse motivo, a Vaniday resolveu oferecer sua *expertise* para puxar tais profissionais para a rede *on-line*, com a ideia de melhorar o que já dá certo no mundo real.

"Se eu quero que meu negócio cresça, eles têm que crescer primeiro."

Foi com essa mentalidade que a Vaniday estabeleceu parcerias.

É a ideia de que negócios fortalecidos fortalecem outros. E a ideia não seria prestar assistência somente na internet, mas também prestar consultoria em outros aspectos desses salões de beleza. A ideia era "tangibilizar" o serviço, torná-lo visível não só no universo *off--line*, mas em outros aspectos da vida cotidiana.

ESTÉTICA NÃO É ALGO DESCARTÁVEL NUMA CRISE?

Recessão de 3,8% do PIB e inflação batendo 10%. Num cenário econômico inóspito como esse, com o dólar furando o teto de R$ 4, os serviços de beleza, cabeleireiro, unhas e estética em si são descartáveis, certo?

Como criar um tipo de negócio nesse cenário?

"Não vi o público que realmente consome estética cortar os serviços, mas eles diminuem sim o consumo. Se a pessoa fazia unha uma vez por semana, ela passa a utilizar o mesmo recurso uma vez por mês. Muitos desses serviços passam a ser realizados em casa. O que fizemos para continuar com nossa clientela foram adaptações. Aplicativo, ao contrário do que se imagina, consegue ajudar os salões durante a crise. O programa divulga, cataloga e contribui para a negociação a preços compatíveis no atual contexto. Se a pessoa fazia a unha por R$ 50, no *app* ela encontra um salão de beleza com qualidade por R$ 35, por R$ 30, por R$ 20. A gente consegue adaptar os dois lados do relacionamento."

A frase que define a Vaniday no Brasil de hoje são as alternativas para se livrar da crise sem deixar de fazer o que se gosta. O negócio de Cristiano é se sentir bem e ir além da vaidade que muitas vezes é rotulada, geralmente por quem é de fora do mercado, como futilidade.

"A beleza tem outra vantagem que é o fato de ela ser subjetiva. O que é belo pra você não é necessariamente para mim. O que faz as pessoas se sentirem bem é algo realmente subjetivo. Qualidade entra na mesma categoria. Um salão excelente pra você não é bom pra mim, e vice-versa, não interessa o quão caro for. Às vezes se corta o cabelo num local a R$ 10 que você pode sim adorar e o funcionário te tratar bem. Outros fazem questão de gastar R$ 100, R$ 200, R$ 300 por um bom corte. Nós somos democráticos no que fazemos", frisa o fundador do *app*.

Promoções, descontos e ofertas são subsidiados pela Vaniday para muitos salões. Por isso mesmo, os criadores do aplicativo fazem questão de ir até os estabelecimentos e conhecer os profissionais. Dessa forma, eles conseguem organizar maneiras criativas de chamar o cliente que está afetado pela crise econômica.

Os incentivos vêm na forma de cupons, *vouchers* e outros *tickets* promocionais.

A ideia de atrair tráfego serve tanto para fidelizar os atuais clientes do *app* quanto para chamar atenção de quem nunca utilizou o serviço.

"Eu vim com essa ideia para realmente mudar o mercado. Mudamos a cultura dele. Falo isso em toda a entrevista e ninguém publica: A gente vende um serviço que a pessoa não sabe que precisa. Isso muda no momento que ela passa a utilizar. Lido com uma necessidade latente na vida das pessoas, que elas não sabem que existe. Justamente por isso a gente não pode perguntar tudo ao cliente. Você tem que oferecer diretamente pra ele. Caso você pergunte, o cliente vai falar sobre algo que já existe."

A CRIAÇÃO DE UMA NECESSIDADE

Steve Jobs, um dos maiores nomes que simbolizaram a empresa Apple[17], partilha da mesma teoria de Cristiano Soares. Ele dizia em diferentes oportunidades que precisava mostrar o que as pessoas queriam ter sem a necessidade de questioná-las sobre isso. Jobs não acreditava em pesquisas de mercado tradicionais e tinha uma vocação quase visionária para vender boas ideias, especialmente no quesito do *design*.

Foi assim que ele teve muito sucesso no Apple II, no *iPod* e no *iPhone*. No entanto, Steve Jobs também colecionou fracassos, como o primeiro Macintosh e o Apple Lisa. Apostar em ideias

---

17 Executivo de sucesso, ele esteve na frente da Apple entre 1976 e 1985, na fundação, e entre 1997 e 2011, quando faleceu. Também fundou a NeXT Computer e a Pixar. Antes de empreender, foi funcionário da Atari e teve apoio do gênio da eletrônica entre as empresas de garagem, Steve Wozniak.

inovadoras sem *feedback* é uma tarefa arriscada, mesmo para especialistas no ramo.

Cristiano sabe que corre os mesmos riscos com a Vaniday. No entanto, ele tem um ponto concreto para investir no ramo da beleza.

"Existem serviços como táxi, comida, roupa, sapato, hotel na internet e não existe um agendamento efetivo dos serviços de beleza na rede. Foi em cima desse ponto que eu criei o meu *app*. Muitas pessoas diziam para mim que as mulheres eram fiéis aos serviços mais *off-line*. Mas essa fidelidade está mudando – e está mudando sobretudo de plataforma. As pessoas estão mais fiéis ao bolso delas e os aplicativos barateiam esses serviços."

Outro ponto, além da inovação "a la Steve Jobs", que Cristiano Soares levantou é a necessidade de uma rede que integre serviços desse tipo. "Eles não têm oportunidade de aparecer *on-line*. Qual plataforma foi pensada para eles? Nenhuma. Só existem vários problemas para eles no Brasil. Os salões de beleza são muito pouco profissionalizados, a maioria são de bairro. Geralmente é um cabeleireiro que montou um 'negocinho'. Ele não entende de gestão, de *marketing*, de precificação, de fidelização de cliente, de treinamento de profissionais. Na primeira crise que esse cara tiver, ele fecha. Não sabe trabalhar um CRM, mandar uma mensagem pra um cara perguntando se ele vai voltar, se precisa refazer. Esse profissional não tem essa percepção porque ele não teve acesso. É uma questão de educação, de cultura de mercado e de profissionalizar, esta é que é a palavra!"

Para o fundador da Vaniday, os profissionais têm uma dificuldade natural de se reconhecerem como integrantes do nicho a que já pertencem. Para Cristiano, a manicure não se vê como manicure, mas "está manicure". Ela permanece na condição até arrumar outro emprego. É um bom exemplo da falta de integração de que ele se queixa e veio oferecer por meio de sua iniciativa.

"Se ela passa a se enxergar como uma profissional manicure, ela aposta também em vendas e aprende a vender não só a unha, mas a sobrancelha e outras coisas que normalmente os trabalhadores desse segmento ainda não entendem. Nós estamos aqui pra mudar. Queremos mostrar que os salões precisam estar *on-line* e a concorrência envolve meio milhão de estabelecimentos e ele cresceu quase nada em 2016. Foi uma queda brutal na procura. Nos últimos dez anos, nós dobramos o mercado de beleza e agora foi diferente. Todo ano ele vai na contramão da economia. Desde o final da era Lula pra cá, os índices vêm caindo e esse segmento vinha crescendo. Agora ele sofreu o baque."

Para Cristiano Soares, os salões estão assustados com a atual situação social. Estabelecimentos que tinham quinze agendamentos atualmente têm cinco. Perderam 60% da produtividade, aproximadamente. É nesse contexto que a Vaniday cria de fato uma necessidade. A qualidade de seus serviços tem o potencial de atingir uma demanda maior que está distante dos salões de estética.

Mas o empresário faz uma ressalva.

"Digo que não estamos nos aproveitando da crise. Queremos ajudar todas essas pessoas a sair da crise e, depois disso, ajudá-las a se manter. E falo também que não existe hoje plataforma mais democrática do que a Vaniday. Por que eu digo isso? Porque eu só ganho se o salão vender."

OS SALÕES DENTRO DA VANIDAY

Os profissionais cadastrados no *app* criado por Cristiano não pagam mensalidade. Eles se inscrevem gratuitamente e fazem parte de uma rede que se expandiu com especialistas na área. Inicialmente, quem faz o investimento para melhoria do mercado é a Vaniday.

A rede fatura até 30% nas vendas de serviços de corte de cabelo, unhas e estética em geral pelo aplicativo.

O percentual depende do salão, da oferta que é feita, entre outros detalhes.

Em troca, a Vaniday posiciona as marcas no Google, investe na empresa para ganhar visibilidade no Facebook, desenvolver conteúdos no YouTube, além da divulgação em canais *off-line*s por meio de *vouchers* e outros materiais gráficos. A rede de fotografias com filtros, Instagram, está incluída nos serviços possíveis da companhia.

Os gerentes de contas do aplicativo visitam os salões para verificar as condições do local e dar aconselhamento próximo dos proprietários e de seus empregados quanto às melhores práticas do ramo.

Salões que utilizam a Vaniday e serviços concorrentes afirmam que o atendimento fora da internet é o diferencial do serviço.

Um autêntico O2O.

Alguns parceiros da Vaniday já conseguiram otimizar suas atividades em 30% depois de um ano de atividades do serviço com a Rocket. Na concepção de Cristiano Soares, "isso é realmente mudar o mercado".

As mudanças na natureza dos negócios florescem conforme os salões de beleza estão mais abertos a implementar práticas da internet. A principal dificuldade dos parceiros dentro da Vaniday é estar realmente de mentalidade inovadora para aproveitar os *workshops*, a mentoria e todos os recursos fornecidos para orientação.

"Se o cara entrar na nossa plataforma e não tiver um agendamento, que é por onde ganhamos dinheiro, ele não paga nada pelo espaço fornecido. E é divulgado de graça nesse meio-tempo."

Segundo Cristiano, a maioria dos agendamentos no *app* da Vaniday é realizada após as 22 horas. Se o serviço do salão permanecesse *off-line*, normalmente suas atividades se encerrariam às 20 horas. Ou seja, ele perderia esses clientes no final da noite, que chegam cansados do trabalho e resolvem agendar.

O reagendamento é feito pela Vaniday. Em caso de atrasos ou falta do profissional de beleza, eles fazem todo o atendimento do cliente. E os meios são o Facebook, WhatsApp e as ferramentas de internet.

OS CORTES

As filiais não foram os únicos cortes da empresa ao longo do tempo. Em fevereiro de 2016, a Vaniday chegou a ter trinta funcionários, um time muito maior do que os fundadores originais em Belo Horizonte, no ano de 2014. No começo, eram dois fundadores e quatro pessoas.

Em setembro, a empresa chegou a dezoito funcionários. Cortes foram necessários. "Eu estou com um resultado de performance melhor com esse time atual", afirma o executivo Cristiano.

Um funcionário chamado Max fez a internacionalização da empresa e depois saiu. Hoje, eles contam com doze desenvolvedores com um time de *marketing*. Alguns foram trabalhar na sede da Rocket em Berlim, na Alemanha. Ou seja, é um time com experiência global para realmente otimizar os atendimentos no Brasil e no mundo.

"O nosso foco é a eficiência."

Cristiano Soares é crítico com os investimentos internacionais que aconteceram no Brasil durante o *boom* econômico. "Eles aportaram dinheiro a fundo perdido." Favorável a uma gestão realista de gastos e ganhos, o executivo criador da Vaniday prefere atender bem a clientela com uma estrutura mais enxuta.

Por isso ele mesmo se responsabilizou pelas demissões sem perder o foco na eficiência. Atualmente, sua empresa cresce entre 15%

e 20% ao mês. Cristiano encara essa margem como boa para o segundo ano da Vaniday, algo que é mais esperado no início. A *startup* gasta 60% a menos em setembro o que era equivalente ao mês de maio em custos.

O empreendedor foge dos grandes números. Não sonha com uma corporação com 200 funcionários, a menos que ele tenha estrutura para isso.

"Falei pro meu pai: Não sou *startupeiro*[18] numa piscina de bolinhas, me divertindo enquanto trabalho. Toco isso como uma empresa. Tem que gerar dinheiro e um bom serviço."

Ele diz que aprende com erros e sucessos. O aplicativo, embora esteja no exterior, tem seu desenvolvimento centrado no Brasil. Cristiano faz reuniões quinzenais com o time todo e tem uma filosofia de empresa que os próprios salões dão como o *feedback*.

"O Vaniday é um serviço humanizado."

FIM DAS EXPANSÕES EM PAÍSES

A empresa de beleza está no Brasil, na Itália, em Cingapura e na Austrália. A ideia agora é não mirar em nações.

"Vamos focar em cidades. Atualmente somos fortes, muito fortes, em São Paulo. Teremos atenção com a Grande São Paulo, com Belo Horizonte, Curitiba e outras metrópoles. O pensamento é ser 'rei do bairro de Pinheiros'. Conquistar bairro a bairro. Cidade por cidade."

Salões hoje procuram a Vaniday para formalizar parcerias e a Claro oferece descontos nos serviços de telefonia, incluindo SMS e internet móvel. Grandes emissoras como GloboNews, além das publicações corporativas, dão atenção para a criação de Cristiano Soares.

---

18   Jargão comum no meio das *startups*.

SERVIÇOS PARA HOMENS

Na estreia, obviamente a Vaniday era focada no público feminino. Cabeleireiro, unhas e outros serviços parecem ser o *target* para esse segmento. Nada deveria mudar, certo?

Mas mudou. E mudou especificamente em 2016.

"Acredite se quiser. Hoje temos 95% de mulheres consumindo o *app* e 5% de homens. E esse segundo grupo está crescendo."

Para atender esse novo público, quais serviços entraram? Barbearia e depilação. Muitos homens procuram a aplicação justamente por ser discreta no uso.

Quem faz depilação normalmente não gosta de fazer esse tipo de agendamento por telefone. No caso dos homens, o preconceito é ainda maior. Então o aplicativo acaba sendo uma opção obviamente efetiva para eles.

BELEZA COM TOQUE HUMANO

Cristiano tem um sotaque mineiro forte, mas não fala para dentro e é um exímio comunicador. Ele é distante da imagem do empreendedor que dá muitas palestras ou escreve em *blogs* na internet. Ele foca seus esforços na solidificação da empresa.

Estruturalmente, ele pensou a Vaniday realmente como uma organização horizontal e contrata inclusive funcionários sem experiências no ramo da beleza. Ele é um cara da ação. Mesmo sendo o fundador e o principal diretor, Cristiano não se importa de sujar as mãos para pintar as paredes da própria companhia.

"O cara pediu R$ 300. Achei melhor economizar o dinheiro para pagar uma pizza do meu time."

CAPÍTULO 6 ■ ORGANIZE SEU DIA DE BELEZA COM A VANIDAY

Dentro da Vaniday, os funcionários têm direito a massagem e cursos de inglês, inclusive para divulgar serviços no YouTube. Ele não pede que os funcionários entrem sabendo tudo. Mas deve existir disposição para aprender.

"Eu aceito erros e ajudo a acertar. Mas também sou o cara que não tem medo de tomar as decisões difíceis. Sou eu mesmo que faço as demissões."

A inadmissão de tantos erros é por causa da cultura da *startup*. Ele não tem muitas chances de erro. Sua entrada na Rocket se deu num momento crucial, quando o investimento inicial tinha se esgotado. E ele conseguiu o parceiro necessário por tomar a frente dessa decisão. "Algumas pessoas devem ser responsáveis por essas escolhas."

Olhando para o Parque Villa-Lobos, da sacada do seu escritório, Cristiano diz que não sabe como será o futuro. Diz que não teme começar do zero de novo, inclusive se tiver que voltar para Belo Horizonte.

Ele considera a empresa ainda uma *startup*, mesmo chegando a trinta funcionários. O investimento que ele recebeu é considerado como "capital de risco", que pode ser retirado, caso o interesse se perca. "Por isso, nós temos ainda que provar o nosso valor."

"Cada mês é um ano pra gente."

No entanto, seu olhar reflete esperança, conhecimento e crescimento.

DRESS & GO
seu closet inteligente

Grife sob medida digital com a **Dress and Go**

capítulo
7

> Como um grupo de empreendedoras desenvolveu um negócio que lida com marcas de luxo e pratica preços acessíveis. O perfil de um empreendimento que lida com um mercado consolidado e de alto poder aquisitivo no universo *off-line*.

Considerado o "maior *site* de aluguel de vestidos com os maiores estilistas do Brasil", a Dress and Go surgiu da mente de duas empreendedoras e foi divulgado em premiações pela revista *Forbes* Brasil e pelo jornal *O Estado de S. Paulo*, fora o Lide Futuro do empresário João Doria[1].

Mariana Penazzo e Barbara Diniz eram do mercado financeiro. Mariana cursava Administração de Empresas no Insper. Das duas, a primeira decidiu criar um negócio no segmento *fashion*. Barbara permaneceu nas finanças até decidir formar a sociedade com a amiga, em 2013, um ano depois.

As duas ficaram cerca de cinco anos prestando consultorias. Barbara trabalhou como pesquisadora de análise de investimentos da Fit Participações, enquanto Mariana passou pelo Credit Suisse, Bookeepers e LAN Airlines, uma variedade maior de mercados ainda que fosse em levantamentos corporativos e no setor de vendas.

Mesmo com a segurança do setor onde atuava, Mariana Penazzo sentiu que era o momento de empreender numa iniciativa que a agradava pessoalmente. O mundo da moda exigiu, então, que ela pensasse soluções para uma sociedade que cada vez mais estava conectada diretamente com a internet.

---

[1] Então candidato ao cargo de prefeito em São Paulo em 2016, pelo PSDB. Foi eleito no primeiro turno.

O LUXO AO ALCANCE DE MAIS GENTE

"Descobri, ao verificar que não havia serviços de aluguel de vestidos efetivos na internet, que deveria ou eu mesma costurar peças, ou buscar os estilistas interessados num negócio desse naipe. Liguei pra Barbara para perguntar se ela queria participar. Me respondeu: 'Eu topo'. Quando a Barbara me perguntou como seria a evolução do negócio, respondi que não sabia ao certo, mas que descobriríamos juntas."

Barbara e Mariana fizeram um *brainstorming* juntas para descobrir o que elas queriam de fato fazer dentro do nicho *fashion*. Ideias surgiram para delimitar de maneira efetiva a sua área de atuação e gerar um negócio sustentável no médio prazo. A ideia seria não copiar os demais, mas desenvolver uma iniciativa, nas palavras da fundadora Mariana Penazzo, "inovadora" e "escalável"[2].

Pensaram então no formato *on-line*. "Queríamos criar algo que funcionasse como um facilitador na vida das pessoas." Optar por esse segmento tinha a ver com o trabalho anterior das duas, que envolvia ficar horas e horas na frente de um computador necessitando de soluções que não as afastasse da telinha. Teria que ser simples e ter uma usabilidade que não consumisse mais do que alguns minutos.

A dupla listou inúmeras sugestões e ideias, com os prós e os contras. A ideia surgiu numa reunião na casa de Barbara. "Eu provei alguns vestidos lá e disse que tinha gostado. Então topamos fazer algo assim e pesquisei na internet, descobrindo que já existiam negócios com esse mesmo tipo de fundamento na Inglaterra."

O *benchmark*[3] das duas é a Wedding Raymond, que foi criada em novembro de 2009 e chega a vender mil vestidos por hora na

---

2   Iniciativa com chances de crescimento.
3   Referência de mercado.

internet, especialmente para casamentos nos Estados Unidos. Mesmo inspiradas, Mariana permaneceu mais compenetrada na iniciativa em 2012, enquanto Barbara ainda trabalhava na área de formação de ambas. A situação só foi mudar um ano depois. Elaboraram juntas o *business plan*[4] da iniciativa.

As conversas começaram em maio e o primeiro *showroom*[5] da dupla abriu em outubro. O prédio onde elas se instalaram viria a se tornar o seu escritório. A empresa se lançou efetivamente em fevereiro de 2013, com as duas mulheres no comando e o aluguel *on-line* de vestidos para festa funcionando para todos os consumidores.

O negócio delas trouxe o luxo e a alta-costura para mais gente na internet. "Passamos a atender muitas pessoas. Com diferentes fornecedores, ajudamos aquela mulher que mudou de manequim, que está gorda e qualquer outro tipo de busca mais específica que ela fizer atrás de um traje para casamentos e outras festividades." Para começar, as duas colocaram R$ 300 mil na iniciativa. E investimento atrai investimento.

DINHEIRO FOCADO EM NEGÓCIOS NA INTERNET

Barbara trabalhava diretamente com *venture capital*[6] para internet, e em julho de 2013 o negócio conseguiu escalonar graças a um aporte de R$ 1 milhão da A5 Internet Investments, de Renato Ramalho. O segundo investimento veio em dezembro de 2014, do Kaszek Ventures, que é considerado o maior fundo para iniciativas digitais da América Latina.

---

4   Plano de negócios, expressão em inglês.
5   Sala de exibição de peças para moda.
6   Expressão em inglês para investimento de risco.

As aplicações de dinheiro foram realizadas, segundo as próprias empresas, porque a Dress and Go contribui para a chamada *shared economy*[7], a circulação de bens pela internet. E as fundadoras fazem isso não só comercializando peças da moda, mas permitindo o aluguel de uma maneira rápida e prática ao cliente.

"Eles nos apoiaram nos passos de amadurecimento e consolidação do negócio."

Atualmente a empresa está presente no formato de *site*, mas ainda deve se tornar um aplicativo móvel para iOS, sistema para celulares Apple e Android. O foco da companhia, no entanto, foi primeiro atender a internet de uma maneira geral com uma página digital.

"NÃO TÍNHAMOS NADA A VER COM A MODA"

Mariana Penazzo tem vinte e oito anos e um tom de voz muito calmo em nossa conversa. Barbara Diniz tem trinta. Nenhuma das duas tem vergonha de admitir que não eram especialistas em vestidos de marca antes de abrirem a Dress and Go. "Viemos de um mercado e de uma faculdade que nos ensinou os métodos de gerir um bom negócio, mas não tínhamos nada a ver com a moda."

O que fez a coisa dar certo?

Pesquisar bem os concorrentes, dentro e fora do Brasil, e buscar rapidamente uma forma de financiamento para sustentar sua própria iniciativa. Mariana estruturou o *site*, enquanto Barbara seguiu a trilha do dinheiro. E o segredo das duas é justamente uma relação de amizade e cumplicidade na solidificação do negócio.

"A gente veio com o *chip* da moda, né? Acho que é uma característica natural da mulher saber lidar com essa área. O que nós

---

7   Economia de compartilhamento, termo em inglês.

soubemos fazer, e acho que foi nossa maior contribuição, foi modernizar a forma como as pessoas que apreciam isso podem adquirir e experimentar novas peças de roupa", complementa Mariana.

Ter um *business plan* e reuniões para discutir, aprovar e descartar ideias fizeram toda a diferença para a dupla fundadora da Dress and Go. Mariana Penazzo diz que quem deseja entrar em negócios desse tipo que mexem com peças fora da rede *on-line* precisará fazer uma pesquisa tão elaborada quanto a delas. E o segredo do sucesso foi justamente esse preparo antes de mergulhar no empreendimento.

"Quando trabalhei na LAN Airlines, a operação era pequena e existiu uma vantagem: trabalhei em todas as áreas. Do posicionamento da marca até a administração e o *marketing* da companhia aérea me permitiu ter um aprendizado de negócios que me preparou para criar a minha própria iniciativa."

As duas não pensaram nunca em acabar com o negócio. No máximo enfrentaram dificuldades para entender onde estavam se estabelecendo. Depois da fundação em 2012, a empresa pulou de duas sócias para uma equipe de setenta pessoas que cuidam do estoque e do aluguel das peças de luxo.

No início, Barbara e Mariana dividiam o atendimento ao cliente e a busca por investimentos. "Contratamos em seguida uma pessoa de *marketing*, a Flávia, que está conosco até hoje e lida inclusive com o aspecto *off-line* do negócio." A empresa cresceu de fato depois com uma equipe de atendimento ao cliente para efetuar os empréstimos. Cada pessoa que entrou cobriu carências que existiam na iniciativa.

"Nossa ideia é democratizar o luxo e atender cada vez mais o Brasil inteiro." A ideia da dupla é efetivamente sair do eixo entre Rio e São Paulo.

O QUE PODEMOS APRENDER COM O LUXO ACESSÍVEL

A aventura de Mariana Penazzo e Barbara Diniz traz importantes lições de empreendedorismo que podem ser elencadas.

Não é necessário ser do ramo para entrar num negócio de moda de luxo. Essencialmente, você precisa fazer uma boa pesquisa de mercado para entender o público que vai tratar e como deve atingi-lo.

Em segundo lugar, mantenha a sua ideia estável. Não pense em desistir dela no primeiro problema. Busque formas de tornar a iniciativa sustentável, nem que isso envolva um investimento robusto no início – desde que ele seja compatível com seu orçamento.

Tenha *benchmarks*, referências, na concorrência. Nada é 100% original.

Mas não tenha medo de ousar e lançar uma alternativa que não existe no seu mercado. O Brasil não tinha um *site* para alugar roupas de luxo. A dupla foi lá e fez.

E não busque ter o mesmo comportamento tradicional. Mariana deixou claro em suas declarações que sua iniciativa busca democratizar o acesso. Lançar uma iniciativa digital é facilitar a entrada de mais pessoas mesmo para marcas que não são tão populares.

Utilize o investimento de fundos para reinvestir no seu próprio negócio. Não caia na tentação de embolsar a verba *a priori*.

Traga conhecimentos de outros setores. Mariana Penazzo trouxe sua experiência em diferentes setores dentro da aviação para otimizar a gestão do seu próprio negócio.

Saiba delegar tarefas. No começo, provavelmente você terá que assumir todo o negócio. Com o crescimento da empresa, é melhor passar atividades para a frente.

Relações pessoais podem ajudar. Mariana e Barbara são amigas, o que facilita na tomada de decisões.

A última e décima dica é ter para onde crescer. Focadas na criação do *site*, a dupla de empreendedoras *fashion* agora vai criar suas versões para *apps mobile*, principalmente para *iPhone* e a gama de celulares com sistema Android. É para a moda realmente não ter fronteira.

© Cadu Silva

Diferentes serviços de casa do **GetNinjas**

Eduardo L'Hotellier, fundador do GetNinjas

capítulo
8

A história de uma empresa que começou nas reformas domésticas e chegou até o cerne do mercado de *freelancers* no Brasil. Como um negócio nasceu com verba pífia e se tornou uma referência em seu mercado.

O escritório do GetNinjas, na movimentada Avenida Rebouças em São Paulo, é espaçoso e contrasta com o jeito claustrofóbico da capital, especialmente naquela via de automóveis. Ligando a Avenida Paulista com a Marginal Pinheiros, o Butantã com a USP, a Rebouças é uma via nervosa da metrópole. Fica parada entre as 8 e 10 horas da manhã e é um local impossível a partir das 17 horas, no horário do *rush*[1] de verdade.

A sede da *startup* que começou num cubículo se tornou algo próximo de um galpão com vários computadores, pufes com imagens dos ninjas, um jardim aberto para relaxar, salas de reunião e muitas pessoas testando celulares, fora quem atende os clientes com *headsets*[2].

Eduardo L'Hotellier, o fundador e presidente da empresa, é esguio, moreno, voz suave e usa óculos de armação leve com lentes quadradas e grandes. *Geek*, ele é um rapaz tímido e retraído, mas fala com paixão da sua própria criação.

Mineiro de Juiz de Fora, mas com sotaque carioca forte, ao se formar pela Universidade Federal do Rio de Janeiro (UFRJ) em Administração de Empresas ele decidiu mudar-se para São Paulo. Também estudou Engenharia da Computação no Instituto Militar de Engenharia no Rio.

---

1   Horário de pico de trânsito, especialmente em transportes públicos como o ônibus e o metrô (no caso de São Paulo).
2   Fones de ouvido, com microfone.

O GetNinjas é Eduardo, no sentido literal da frase. E a empresa reflete sua história e personalidade.

Reformas de casa é um tipo de serviço que todo mundo precisa durante quase todo momento. Está há muito tempo num apartamento ou em uma casa? Talvez seja o caso de trocar o encanamento ou de pedir uma pintura nova. Mudou-se? Vai precisar de um pedreiro para reformar o imóvel para deixar com a sua cara.

A essência do GetNinjas está nesse segmento.

Com trinta e um anos, Eduardo teve uma frustração com um pintor em sua casa, acompanhado por outro profissional que lidou com um entupimento em seu encanamento. Uma experiência ruim que ele teve no cotidiano deu o pontapé inicial para pensar num negócio que estava completamente ausente do mercado brasileiro.

Em vez de simplesmente reclamar do serviço recebido, o empreendedor acabou tendo uma ideia. Iria oferecer a pintura que não teve para fazer a reforma de seu próprio lar. O fundamento do negócio era justamente solucionar um problema doméstico. Então se somaram as forças e o empresário apostou nas novas tecnologias, sobretudo aquelas que são móveis.

A NATUREZA DOS NINJAS

"O nosso negócio é de curto e médio prazo", diz Eduardo em uma das salas de reunião isoladas de várias baias com computadores e *notebooks* onde seus funcionários trabalham. Justamente por isso, a agilidade e o atendimento ao cliente são focos de seu serviço. "Trabalhamos com festas, casamentos, necessidades domésticas e, bom, aulas de inglês. Aulas de inglês talvez sejam algo mais de longo prazo."

Os tipos de serviços oferecidos são em sua maioria locais. O fundador da empresa explica em percentuais qual é a diferença do que é fornecido. "Cerca de 95% dos serviços prestados por nossos profissionais é local e só um pequeno percentual é digital." Portanto, a empresa nasceu mesmo de reformas em apartamentos, como é o caso dos serviços de encanadores. E seu propósito é justamente utilizar a tecnologia para agilizar todo o processo.

A ideia do GetNinjas, portanto, é literalmente oferecer "ninjas" capazes de solucionar problemas cotidianos. Precisou consertar um vazamento? Eles providenciam encanadores especializados no seu problema. Fotografia? Um *freelancer* vai registrar os melhores momentos da sua união com o amor da sua vida. Além da gama variada de serviços, você poderá avaliar o trabalho por meio do aplicativo gratuito disponível.

Esse é o espírito por trás dos "ninjas contratados".

A INEXISTÊNCIA DE UM *E-COMMERCE* SÓ DE SERVIÇOS

"Eu trabalhava com consultoria financeira, em 2010, e lidava com análise de negócios na McKinsey & Company e era advisor na Angra Partners. Naquele tempo, percebi o *boom* das coletivas e vi nichos de *e-commerce* recebendo investimentos robustos. Achei que era o momento de entrar nesse tipo de negócio", diz Eduardo L'Hotellier pausadamente enquanto tomamos café. O tom de voz dele oscila pouco, mas ele sabe explicar calmamente qual era aquele momento em que ele decidiu empreender. Com boa memória para datas, o executivo situa com clareza onde o GetNinjas se encaixou e quais foram os seus *insights*[3] ao longo de uma trajetória que já passa de meia década.

---

3   Termo em inglês para ideias ou inspirações.

Eduardo pertence a uma geração de jovens adultos que viu a internet surgir, chegou a sofrer com conexão lenta e viu, aos poucos, a sociedade ser tomada pelos *smartphones*. Ele faz parte da tão falada "geração Y"[4], que nada mais é do que os nascidos entre os anos 1980 e 90. Faz aniversário no dia 29 de janeiro. Viu parte do mundo *off-line* no começo da vida e cresceu numa adolescência em que a rede global era a sensação.

Sou da mesma geração. A internet para nós veio faltando muita coisa. No começo não existiam redes sociais. Falávamos por listas de discussão, *chats*, *scripts*, para depois chegar nos fóruns públicos. O Orkut, em 2004, popularizou as redes e as interações, até o Facebook nos pegar de vez em 2008, 2009. Eduardo L'Hotellier verificou um movimento naquele mesmo período.

Nas suas palavras, diversos negócios digitais de comércio surgiram nos anos 2000, em plena "bolha da internet"[5]. Para quem não se recorda, a bolha foi o período em que empresas da rede se valorizaram mais do que negócios *off-line*. E como tudo que sobe no boato, elas desabaram no fato. "Depois daquele ano, houve um apagão do *e-commerce* até, pelo menos, 2009. Isso aconteceu principalmente no Brasil."

Outros mercados tiveram reações distintas. Mesmo com o estouro da bolha, o Alibaba teve sua primeira lucratividade em 2001, depois de três anos de atividade na China. Enquanto isso, a

---

4 A expressão foi popularizada por William Strauss e Neil Howe a partir de 1987. O termo também foi adaptado no termo *millennials*, ou milenares. A dupla divulgou a expressão nos livros *Generations: The History of America's Future, 1584 to 2069* (1991) e *Millennials Rising: The Next Great Generation* (2000). Ganhou público no meio publicitário, especialmente em revistas como a *Ad Age*.
5 "Bolha da internet" também era conhecida como "bolha ponto com". Ocorreu entre 1997 e 2000, quando o Yahoo chegou a adquirir a criadora de *sites* GeoCities por US$ 3,57 bilhões. Hoje o Yahoo foi comprado pela Verizon, após agonizar uma quebradeira quase inteira. A outra empresa não existe mais.

Amazon só teve o seu primeiro ano de lucro em 2003, após quase dez anos de trajetória[6].

Eduardo considera que essas companhias, de dentro e de fora do Brasil, foram a primeira geração do setor. O quadro mudaria significativamente antes de muitas delas completarem uma década de existência. É verdade que muitas surgiram de iniciativas de meados dos anos 1990, mas havia ainda *startups* que mal tinham um plano de negócios mais consolidado e testado pelo mercado.

"Segunda geração é de *e-commerce* de nicho. Elas surgem focadas."

Não é uma expressão vazia que Eduardo L'Hotellier diz ao responder minhas perguntas. Ao se referir aos negócios de nicho, ele quer dizer que as novas pequenas empresas decidem se especializar em determinados produtos ou serviços para assegurar sua sobrevivência no mercado. E tomam essa atitude por diferentes razões.

No começo da internet não havia tantas lojas em rede. Não havia tantas alternativas de compras de produtos para entrega em casa. Fazia sentido estruturar *sites*, sistemas de pagamento digitais e empresas como "supermercados". Você utilizava seu carrinho e comprava DVDs, eletrodomésticos, livros e muitas coisas num único espaço.

A vantagem desse modelo antigo é que não era necessário visitar tantas páginas distintas para desfrutar de alguns serviços.

E qual era a desvantagem?

Bom, é óbvio se você pensar no que eram aqueles *sites*.

Faltavam produtos, alguns eram limitados a determinadas marcas e outros simplesmente não eram encontráveis. Isso impedia o *boom* que temos do O2O hoje em dia. Todo esse contexto que descrevo, e

---

6   A empresa foi fundada em 5 de julho de 1994.

que foi fruto da entrevista com o fundador do GetNinjas, mostra que o cenário era propício para o uso do celular e para o surgimento de negócios por nicho, por categoria de produtos ou serviços.

"E não existia absolutamente nenhuma aplicação focada só em serviços. Como eu trabalhava na área financeira, a vontade de empreender era separada do meu trabalho e eu enxerguei a inexistência desse tipo de negócio como uma oportunidade. O que existiam eram classificados generalistas e pequenos *sites* com boas propostas, mas usabilidade péssima. Eram páginas com *design* de 1999 em 2010. Eles não eram trabalhados para o usuário."

Eduardo teve essa visão no mercado aos vinte e cinco anos, quando já não estava morando mais com seus pais. Dividia uma casa com amigos e ganhava bem trabalhando com instituições financeiras. Foi naquele contexto que ele teve uma experiência ruim ao tentar contratar um pintor para o local onde morava. E a ideia do negócio se solidificou.

Um encanador que ele contratou também não resolveu de maneira satisfatória um problema com canos entupidos. Os dois casos deram o argumento para lançar uma companhia.

Afinal de contas, a pintura ficou numa qualidade aquém do esperado, precisando do trabalho de outro profissional para fazer todo o acerto, e o encanamento ficou entupido por mais tempo.

"Existia ali um espaço a ser preenchido."

O empreendedor viu uma oportunidade no crescimento sólido do mercado de *smartphones*[7].

---

7   Abordamos isso brevemente no primeiro capítulo deste livro, sobre o florescimento de negócios O2O no Brasil. Muitos deles se basearam na expansão da telefonia celular.

A SOLUÇÃO DE UM PROBLEMA

Depois de falar do cenário geral, Eduardo enfim chegou ao cerne da questão do GetNinjas, que envolve o espírito da empresa que pretendia criar e a resolução de uma demanda real que ele percebeu quando não foi bem atendido. O que ele desejava era, de fato, solucionar um problema.

"Sei das dificuldades de se contratar um pedreiro, por exemplo. Quando você consegue um profissional, não tem como saber de antemão se ele é bom. E existem ainda os problemas com o pagamento pelo serviço depois que tudo é concluído. Por todos esses fatores, eu queria desenvolver uma ferramenta que solucionasse esse problema."

Como trabalhava no mercado financeiro, Eduardo L'Hotellier teve condições de dimensionar como funcionava os serviços terceirizados em São Paulo. Seu conhecimento também permitia imaginar um *software* que poderia funcionar como solução dos problemas descritos. A questão era como ele poderia se posicionar para tornar-se um recurso acessível a todos.

"Não comecei a empreender imediatamente para ficar rico. Nem sabia exatamente quanto gastaria no começo. Fiz tudo focado na resolução de um problema pessoal que tive. Não pensava propriamente em criar uma empresa. Meus amigos brincavam comigo chamando o GetNinjas de *blog*. 'Larga esse *blog* e vai fazer um trabalho de verdade', me falavam. O legal é que, três anos depois, uma dessas pessoas foi fazer MBA e depois foi empreender inspirada no meu negócio. Daí ela parou de falar mal do *blog*, porque teve o seu *case* de sucesso."

Para entender o aspecto inspirador da iniciativa de Eduardo, precisamos voltar ao começo e ao nome da entidade.

CIDADE DOS BICOS

O GetNinjas não surgiu em 2010 com esse nome. Seu fundador o batizou de Cidade dos Bicos. A ideia era justamente uma aplicação para trabalhadores autônomos que estavam dispostos a fazer alguns bicos numa ideia de metrópole mais conectada pela internet.

O símbolo da empresa era uma cidade com prédios nas costas de uma ave tucana, que carregava notas de dinheiro no bico. Concepção muito diferente do desenho do ninja com um canivete suíço.

"No começo a plataforma tinha algumas vantagens nítidas. Um serviço *on-line* precisa de muito pouca massa crítica para dar certo. Se você tem um encanador, normalmente ele só atende em alguns bairros. Um *designer* ou um programador faz o tipo de trabalho dele na rede pro Brasil inteiro. Então contávamos com esses dois tipos de profissionais. O grande desafio era tornar pedreiros e outros profissionais mais adeptos ao uso do celular. A barreira era justamente levar o pessoal do *off-line* para o *on-line*. Era a nossa maior conquista como negócio", afirma o fundador. A estatística que falamos mais no começo deste capítulo era inversa no começo do negócio. A maioria dos trabalhadores terceirizados estava fora da internet (95%), enquanto os locais permaneciam distantes do *smartphone* (5%).

Cidade dos Bicos virou e deu certo quando fez os prestadores de serviço usar e abusar das conexões 3G.

O nome inicial durou apenas um ano. No ano seguinte, passou a se chamar GetNinjas, porque era o apelido que os prestadores de serviço receberam ao solucionar os problemas domésticos dos clientes.

"Não tínhamos investimentos suficientes para dar os celulares aos trabalhadores, mas entre 2011 e 2012, era uma época de crédito mais fácil no Brasil. Dessa forma, a gente incentivava quem trabalhava conosco a adquirir esses aparelhos com pagamento parcelado. Conseguia isso negociando com fornecedores que indicava para os funcionários com desconto. Era época do *dual chip*, com dois números, e os *e-commerce*s nos ajudaram nisso. A coisa incrível que ajudou as empresas O2O foi o WhatsApp, porque ele reeducou o consumidor a abandonar o SMS e reduzir seus custos com *smartphone*. Foi algo próprio do Brasil, porque lá fora se usa mais o Messenger e outros meios."

Telefonia e internet no Brasil são dois problemas na questão dos custos e na sua falta de infraestrutura. Nosso país ocupa a 57ª posição no *ranking* de 95 países avaliados pela empresa britânica OpenSignal, que analisou a qualidade dos serviços de cobertura móvel 3G globais[8]. O que isso significa? Que a nossa internet é lenta demais.

Tudo isso torna-se um problema para serviços que não estavam na rede ingressarem. Naquele momento, nem metade do Brasil estava conectada. A maioria da população entrou na rede a partir de 2013, segundo o CGI.br[9].

A empresa de Eduardo L'Hotellier cresceu justamente nesse período.

"As pessoas tinham celular para o lazer. Empresas como a minha se projetaram com a cultura dos aplicativos se expandindo. O uso de WhatsApp e de *apps* gratuitos popularizou o aparelho para além dessas atividades. Hoje saímos de São Paulo e temos pedreiros até no Ceará. É preconceito pensar que o profissional autônomo não sabe utilizar o *smartphone* para trabalhar, algo que não era comum quando eu comecei com este negócio. Hoje os autônomos têm

---

8 Informação divulgada pelo *site* iMasters. Acessado em 7 de setembro de 2016 – http://imasters.com.br/noticia/brasil-ocupa-57o-lugar-em-ranking-mundial-que-avalia-internet-movel/
9 Pesquisa TIC Domicílios do Comitê Gestor da Internet no Brasil, CGI.br.

acesso a essa tecnologia e sabem utilizar seus recursos para o trabalho. Justamente esse tipo de conhecimento fez com que o meu negócio tivesse um crescimento impulsionado entre 2012 e 2013."

O negócio cresceu, resumidamente, com a popularização do *smartphone*. Mas tal expansão não surgiu de geração espontânea. Não foi pura sorte e não foi apenas planejamento. Eduardo começa, então, em nossa conversa regada a café, a contar como o bolo do seu empreendimento começou a crescer.

A MULTIPLICAÇÃO DOS NINJAS

"Hoje temos oitenta funcionários." O fundador da empresa me dá esse dado numa conversa em maio de 2016. Em julho do mesmo ano, o GetNinjas abriu processo seletivo para estagiários com um pré-requisito: ser fã do jogo em realidade aumentada Pokémon GO[10].

A mentalidade da empresa, como a de Eduardo L'Hotellier, é arejada. Os funcionários têm uma área de descanso no segundo andar da empresa para fazer churrasco, comer frutas e aproveitar o ambiente.

Nada de estresse absoluto.

Mas as coisas nem sempre foram fáceis dentro do GetNinjas.

No começo, eram cinco funcionários num escritório no bairro do Itaim Bibi, em São Paulo. O espaço era dividido com outras *startups*, como a Bidu, de seguros, e a Oppa, de móveis. "Na época eu trabalhei um pouco com o *venture capital*[11] que recebi e depois

---

10 A informação foi divulgada pelo *site* Drops de Jogos. Fonte, consultada no dia 7 de setembro de 2016 – http://dropsdejogos.com.br/index.php/noticias/cultura/item/1964-empresa-getninjas-vai-contratar-mestre-de-pokemon-go-para-estagio-em-sao-paulo
11 Investidor de risco dos negócios. Expressão em inglês, ela designa principalmente os financiadores de *startups*.

formei o escritório. Não era um tempo de muitos *coworkings*[12], como existem hoje, mas nós trabalhávamos desta forma", diz o executivo Eduardo sobre aquele período entre 2010 e 2011.

As pequenas empresas dividiam duas baias em posição "C" num pequeno espaço de trabalho. Eram quatro *startups* juntas, o que fazia quatro pessoas ficarem encaixadas num aperto razoável. E o GetNinjas cresceu nesse espaço. Quando outro sócio do mesmo negócio precisou trabalhar ali, a pouca área ficou ainda mais apertada.

"Tive que pegar um móvel de empregada e colocar no vão na ponta de uma das baias em 'C'. O negócio era de madeira e não estava lisa. Portanto, a gente tinha que lidar com as farpinhas que ficavam saindo. E eu fechei uma das extremidades do local onde trabalhava. Eu e meu sócio dividíamos aquele espaço e ficávamos trocando de lugar no trabalho, sendo que eu ocupei o espaço novo nos primeiros dias, raspando nas farpas."

No lançamento, ele contratou um estagiário por um salário em forma de *equity*[13], ou seja, deu uma participação na empresa que tinha US$ 1,7 mil investidos até aquele momento. "O menino na época reclamou do ganho, mas depois me agradeceu, porque o valor era superior à bolsa de estudos dele."

O jovem trabalhou em troca de portfólio e focou na divulgação da empresa com a imprensa. "Entramos em contato com cinquenta repórteres. Dentre todos eles, pelo menos um se interessaria pela história e acharia genial, enquanto um acreditaria que o negócio era estúpido ou maluco."

---

12 Estruturas de trabalho comunitárias que hoje podem abrigar mais de uma empresa para dividir os custos do espaço em grandes metrópoles, como é o caso de São Paulo.
13 *Privaty Equity* é uma modalidade de financiamento empresarial.

O foco de Eduardo foi justamente um apelo de mídia logo nos primeiros anos, o que fez com que ele se envolvesse diretamente com a assessoria de imprensa do próprio negócio. Ele não apenas aprovava os *releases*[14] de divulgação.

Eduardo tornou-se o dono e o assessor de imprensa do GetNinjas.

"Eu escrevia os *releases* e isso me tomava muito tempo. Só parei com isso há um ano e meio. Ou seja, por muito tempo fui eu o responsável por isso", diz.

A plataforma, além de direcionar os serviços de terceirizados, se popularizou graças a um trabalho intenso de mídia, aparecendo em veículos como revistas *Exame*, *Pequenas Empresas Grandes Negócios* e outros *sites* e publicações.

E o número de funcionários?

"A empresa começou com um sócio. Em 2011 teve um recrutamento até chegar as seis pessoas mais ativas. No ano seguinte, ficamos entre doze e treze pessoas no Itaim Bibi. No ano de 2013, trocamos de escritório e chegamos em trinta funcionários, com todo mundo apertado e impossível para trabalhar. Tivemos que migrar no *home office* porque o contato humano deixava as coisas inviáveis. Em 2015, chegamos a oitenta. Temos a previsão de chegar a 100 ou 130 no ano de 2016".

Mas a multiplicação dos ninjas não se deu apenas com exposição midiática. Para aumentar e chegar a dezenas de funcionários focados num negócio de nicho, um passo foi fundamental do começo até os dias atuais do empreendimento.

Estamos falando do dinheiro.

---

14 Textos para uso da imprensa.

O FINANCIAMENTO

Eduardo L'Hotellier era um trabalhador comum do mercado financeiro em 2010. Dedicava doze horas do seu dia para o cotidiano nas empresas e recebia um salário por isso. Não começou o negócio com um investimento volumoso. Tinha R$ 5 mil no banco e um carro para começar a aplicar numa companhia nova, pagando aluguel e comida.

O carro foi vendido por R$ 27 mil justamente porque ele conseguia se locomover sem automóvel pela cidade. "Eu poderia comprar isso em outro momento. Passei por apertos, deixei uma vida confortável e decidi ir empreender."

Ele perdeu naquela época, inclusive, o valor do bônus da consultoria financeira que chegaria à sua conta meses depois da fundação da empresa que daria origem ao GetNinjas. Portanto, Eduardo entrou nesse segmento sem ter todo o capital que normalmente se recomenda para começar com folga.

O fundador não era rico e sua família era de classe média.

O empreendimento saiu do chão através de um *layout* e de um sistema pré-pronto feito por indianos por US$ 1 mil. "Negociei por US$ 700 e em uma semana eu lancei. Era algo que demoraria três, quatro meses, se eu fosse programar do zero. Dois caras na mesma época lançaram as mesmas iniciativas. Naquela hora eu notei que ideia é *commodity*. Raramente você tem uma ideia única. O que muda é a execução."

Quando o *site* e a ideia de Eduardo começaram a aparecer na mídia, especificamente na revista *Pequenas Empresas Grandes Negócios*, um executivo se interessou e entrou em contato com um investidor. Carlo Dapuzzo[15], vendo potencial na iniciativa, reuniu-se com Eduardo para perguntar o quanto ele precisava em termos financeiros.

---

15 Parceiro da Monashees Capital, que ele entrou em 2005 como associado.

Naquele mesmo período, o sócio do fundador do GetNinjas passou num concurso público para o BNDES. Mentalidades distintas, Eduardo pretendia arriscar num novo negócio enquanto seu parceiro preferia ter uma saúde financeira mais estável. A sociedade se remodelou, mas a iniciativa não deixaria de crescer.

Eles renegociaram as participações e o ex-sócio é amigo de Eduardo L'Hotellier até hoje.

"Disse ao Carlo a real sobre a situação da empresa em sua fundação: o *site* era uma porcaria e teria que ser feito do zero. Fora aqueles custos, a ideia era que o negócio crescesse no mundo *off-line*. O *on-line* para nós era apenas uma porta de entrada. E meu sócio está saindo. Porque ele passou num concurso público."

Naquela primeira grande negociação, que faria o futuro da empresa, dez pessoas ligadas a investimentos, além do próprio Carlo Dapuzzo, estiveram envolvidas. Hoje a empresa conta com três investidores ativos e representantes do GetNinjas no *board* de diretores[16].

Investidores e analistas participaram ativamente da expansão do negócio.

"Na época usava terno com um nó malfeito, enquanto os investidores iam vestidos de uma forma mais social. Eles fizeram fila indiana e disseram que estavam interessados em investir, perguntando se eu aceitava. Respondi que sim."

Essa foi a principal história da fundação em oito meses até o seu financiamento.

Dali em diante a empresa recebeu R$ 1,2 milhão e não deixou de crescer. Foi de dois até oitenta integrantes.

---

16 Divisão de gestores do negócio.

Em um ano, os negócios *on-line* deram espaço ao *off-line* no GetNinjas graças ao investimento. E Eduardo já tinha conhecimento do segmento O2O e do seu crescimento estrondoso na China, um país de mais de um bilhão de pessoas que passou por um ciclo agressivo de industrialização e globalização nos anos 2000.

"Ganhamos musculatura e viramos um negócio com pedreiro, pintor, encanador, eletricista, eventos e assistência técnica. O serviço de reformas domésticas foi justamente o que mais tivemos dificuldade no começo, mas é o que mandamos melhor. Ele exigia massa crítica para dar certo, tanto de fornecedores quanto de clientes. Pequenas reformas não compensam um deslocamento de quinze quilômetros, por exemplo. A falta de tecnologia, que só deu um *boom* em 2013, também era outra barreira. Com tudo isso, também existem muitos profissionais bons que precisam ser reconhecidos tanto quanto aqueles aventureiros e pouco confiáveis, que não fazem o serviço direito e são muito informais. Dessa forma, as reformas eram o nosso pior oferecimento, diferente de fotografia para eventos que não acarretava tantas dificuldades, envolvendo quase sempre profissionais com portfólio na internet preocupados com reputação."

"Investindo em serviços que antes davam problema, hoje o GetNinjas permite que o pedreiro entre em contato com você em cinco minutos, receba avaliação e os profissionais se preocupam com o *feedback*. Profissionais indicados do método tradicional terminam no pagamento. No nosso caso, é a avaliação que muda tudo. O serviço pode ter ocorrido normalmente, mas o pintor pode deixar uma mancha indesejada. Não existe apenas o certo e o errado no GetNinjas, mas sim as expectativas do cliente e a capacidade do profissional contratado, que nem sempre batem. A avaliação faz eles pensarem no modo do trabalho que agrade quem contrata."

A segunda rodada de financiamento ocorreu em 2013, de R$ 6 milhões, o que resultou numa empresa com muitos funcionários no Itaim. Por fim, o GetNinjas captou R$ 40 milhões e se tornou o que é hoje.

O negócio financiado de Eduardo deu uma onda de formalização de muitos desses trabalhadores terceirizados, fazendo-os recorrer ao MEI para emitir notas fiscais pelo serviço prestado[17]. Era a consolidação de uma felicidade que ele sentia no começo, apesar de todos os apertos, em se dedicar a uma ideia própria e vê-la dar certo.

"Me vi muito mais feliz e sem saudades do mercado financeiro ao ver a minha própria empresa crescer. Mas levei, ao longo dos anos, tudo o que aprendi em consultoria estratégica para fazer o meu negócio prosperar. O que aconteceu no passado me ajudou na minha caminhada rumo ao futuro."

A CRISE BRASILEIRA E A EMPRESA HOJE

A economia brasileira enfrenta sua mais grave recessão desde o fim da ditadura militar em 1985. Depois do PIB[18] crescer 7,6% em 2010, último ano do mandato de Lula, a produção caiu 3% em 2015, primeiro ano do segundo mandato de Dilma Rousseff. No ano seguinte, a presidente da República foi derrubada num processo de *impeachment* e o país entrou num período de instabilidade social profunda.

Ironicamente, o que é problema para muitos foi positivo para o negócio do GetNinjas.

---

17 MEI é uma sigla para Microempreendedor Individual, figura jurídica criada pelo governo em 2009 no Brasil para permitir ao trabalhador a criação de um CNPJ sem necessidade de abertura de uma empresa. A tributação no caso desta modalidade é mais leve (entre R$ 30 e R$ 60) e não corresponde aos encargos tributários de uma companhia tradicional.
18 Produto Interno Bruto, medida importante da expansão (ou retração) econômica.

"Infelizmente muitas pessoas qualificadas ficaram desempregadas neste período. Muitos engenheiros agora estão trabalhando como eletricistas. Há publicitários que são professores de inglês nestes tempos. Como o mercado brasileiro encolheu como um todo, muitos profissionais que trabalhavam sem auxílio da internet foram procurar ajuda e nos encontraram. E serviços de reforma sempre são demandados. Então a função do GetNinjas se amplificou durante a crise. Do lado do cliente, as pessoas estão com dinheiro mais contado, mas elas pesquisam mais e a nossa plataforma é o melhor espaço para suprir essa necessidade."

Em plena crise, as pessoas estão contratando pintores, encanadores e outros profissionais cada vez mais próximos da sua localização ao utilizar o GetNinjas para conseguir os serviços descritos. E a empresa oferece um preço até 30% menor comparando com pedreiros que trabalham fora do sistema.

Os descontos podem ser ainda maiores considerando que o aplicativo dá a opção de contratar atividades específicas, para economizar dinheiro numa reforma de casa, por exemplo.

A empresa também cresceu com assistência técnica. Com o crédito em queda, as pessoas preferem consertar uma televisão velha em vez de comprar uma nova. E quem oferece técnicos para o serviço?

O GetNinjas, claro.

LIÇÕES QUE PODEM SER APRENDIDAS COM A OBRA

O negócio dos ninjas de Eduardo L'Hotellier permite aprender algumas lições de empreendedorismo nesta história de sete anos de trajetória.

A primeira delas é justamente saber estudar o mercado que você quer atingir mesmo quando não existe o capital adequado para começar a *startup*. Eduardo soube fazer os cortes de custo necessários para levar adiante uma ideia que tinha potencial de crescimento.

Não ser necessariamente original é outra dica importante, porque Eduardo descobriu de cara que existiam pelo menos dois negócios similares ao GetNinjas em sua fundação. O foco passou a ser a qualidade.

Como empreendedor você não pode ter medo também de reformular a relação com seus sócios. O fundador do GetNinjas tinha um parceiro inicial que preferiu a estabilidade num emprego como funcionário público concursado. Essa postura profissional se tornou incompatível com a necessidade de risco do negócio.

A quarta lição é saber o momento para mudar o direcionamento do negócio. E isso não envolve apenas estudo de mercado e sim uma sensibilidade com as necessidades da sua própria empresa. O GetNinjas soube migrar do *on-line* para o *off-line* para criar uma clientela sólida.

Não desistir diante dos desafios financeiros é fundamental, porque a iniciativa de Eduardo só passou a render algum dinheiro depois de cerca de um ano.

Adequar o seu crescimento a investimentos no seu pessoal é fundamental. Foi dessa forma que o GetNinjas expandiu de dois funcionários para oitenta pessoas em um prédio na Rebouças.

Entenda as pessoas com quem você trabalha como Eduardo captou, rapidamente, como deveria incluir pedreiros e encanadores no mercado de *smartphones*. Dê aos seus sócios e funcionários o que eles precisam antes mesmo de os trabalhadores compreenderem suas necessidades.

Não foque somente nos ganhos em dinheiro. Entenda os desafios que se impõem como o GetNinjas compreendeu ao tentar criar um mercado *on-line* de reformas domésticas. Uma das formas de fazer isso foi não demonizar a palavra "terceirização"[19] e dar boas condições de trabalho a esses profissionais.

Dê espaço para a diversão como a empresa de Eduardo permite estagiários que joguem Pokémon e outros *games*. É uma boa forma para trazer informações criativas.

Por fim, a décima lição é ter um objetivo claro como empreendimento. Eduardo L'Hotellier e seu GetNinjas sempre buscaram solucionar problemas.

Milionária, a empresa de reformas chegou ao objetivo, aparentemente.

---

19 A terceirização de serviços é vista com maus olhos pelo sindicalismo e pelo mercado de trabalho formalizado, sobretudo com carteira de trabalho (CLT), justamente porque há direitos trabalhistas como o 13º salário, FGTS e outras garantias financeiras. Os trabalhadores informais não desfrutam das mesmas seguranças profissionais em suas atribuições.

© Cláudia Maria Mourão

Esqueça a secretária do médico com o **HelpSaúde**

José Luiz Carvalho, presidente do HelpSaúde

capítulo
9

Agende consultas, confira seu plano de saúde e encurte sua necessidade de informações com o médico. A história da aplicação mostra que ela funciona como um complemento ágil às secretárias dos doutores.

Cuidamos do seu transporte, da sua hospedagem e até da alimentação. O mercado O2O veio para ficar e para ocupar áreas sensíveis da sua vida cotidiana a poucos toques de um aplicativo de celular.

Tendo isso em mente, o que mais falta?

Um programa brasileiro alterou o modo como lidamos com médicos, consultórios e com seu bem-estar. Ele essencialmente tomou o lugar dos calendários, da agenda de *check-ups* e de uma profissão muito requisitada nesses estabelecimentos, a secretária.

O HelpSaúde é uma solução nesse segmento que busca desburocratizar o processo e tornar os procedimentos mais ágeis para quem tem acesso à tecnologia necessária.

SECRETÁRIA DIGITAL NUM PAÍS COM PROBLEMAS NA SAÚDE

"Sim, planejamos expandir os nossos serviços e sempre dentro do setor de Saúde", explica José Luiz Carvalho, atual presidente da empresa de serviços. O HelpSaúde atua num mercado que enfrenta os gargalos do Sistema Único de Saúde (SUS) público e o custo elevado de consultas particulares, que só é abatido nos convênios.

Segundo uma reportagem da revista *Galileu*[1], outros países enfrentam as mesmas dificuldades com falta de leitos nos hospitais, assim como em terras brasileiras.

Na província de Gauteng, na África do Sul, profissionais da saúde atendem uma média de 27,7 milhões de pessoas por ano. Por esse motivo, os hospitais da região nem sempre dispõem de leitos suficientes. O local está resolvendo o problema com tecnologia de monitoramento. Os eBMS identificam em tempo real, por computadores e *smartphones*, a disponibilidade de leitos.

O programa HelpSaúde não atende demandas dessa forma, mas soluciona alguns problemas no agendamento de consultas.

José Luiz explica como foi o começo de tudo: "A empresa foi fundada em 2010 por Gustavo Guida Reis e Tadeu Maia. A ideia era aproximar pacientes e médicos, dentistas e outros prestadores de serviços de saúde. A solução facilita o acesso dos pacientes aos profissionais de saúde, uma vez que consultas poderiam ser buscadas e agendadas a qualquer hora e sem interferência de secretárias ou obrigatoriedade de se fazer isso em horário comercial".

O empresário viu nessa *startup* uma possibilidade para os profissionais de saúde aumentarem sua carteira de clientes. Ele tinha uma experiência prévia com outra companhia que criou antes. "Em 2014, a NetCom, empresa fundada por mim em 2007, viu que havia grande sinergia entre os serviços prestados entre as duas empresas, uma vez que já dispunha de sistemas *on-line* para gerenciamento de consultórios, usados por milhares de profissionais em todo o Brasil. A interlocução entre os dois sistemas seria de grande valor para os usuários e agregaria grande valor às empresas."

---

1   Consultada neste *link* da internet em outubro de 2016 – http://revistagalileu.globo.com/Caminhos-para-o-futuro/Saude/noticia/2016/09/tecnologia-reduz-tempo-de-espera-por-leito-em-hospitais-na-africa.html

Foi assim que José Luiz Carvalho se tornou o CEO do HelpSaúde e tomou a frente da iniciativa que criaria uma secretária eletrônica realmente digital para o nosso precário sistema de saúde.

A DIFICULDADE COM USUÁRIOS E OS PLANOS DE SAÚDE

Para o presidente, o crescimento do tráfego do HelpSaúde foi a dificuldade inicial, superada pelos dois fundadores, Guida Reis e Tadeu Maia. Quando José Luiz adquiriu a empresa, ela já tinha de longe o maior tráfego da internet entre as empresas com atividades semelhantes no Brasil: quase 2 milhões de usuários únicos mensais.

E os planos de saúde particulares ajudaram na iniciativa.

"Na verdade, os planos de saúde viram grandes vantagens nos sistemas interligados. Isso fez crescer nossa carteira entre as empresas operadoras de planos de saúde", diz o CEO.

Sem revelar números, o HelpSaúde diz que recebeu um primeiro investimento de seus fundadores e aportes posteriores da Kaszek Ventures, fundo de aportes de risco que auxiliou outras *startups* O2O. A empresa, portanto, está vinculada às melhores práticas do seu segmento.

SAÚDE DA EMPRESA HOJE, "APESAR DA CRISE"

Fundada por dois empreendedores, o HelpSaúde hoje saltou para vinte funcionários. Dentro de seus quadros, a maior parte deles está focada em Pesquisa e Desenvolvimento (P&D), para angariar mais parceiros estratégicos na venda dos serviços. Desde 2014, a empresa dobra em faturamento a cada ano.

Os executivos avaliam que esse é um crescimento consistente, "apesar da crise". "Acreditamos que serviços e produtos inovadores, aliados a uma equipe competente e comprometida, sempre terão oportunidade de crescimento num país cheio de necessidades como o Brasil", finaliza José Luiz Carvalho.

Num setor com diversos problemas de falta de atendimento e infraestrutura, o HelpSaúde tem uma longa jornada de crescimento que supera em muito a sua curta história de sete anos.

O fundamental na empresa é justamente se embrenhar nos serviços já estabelecidos, alguns com problemas conhecidos.

E é dessa forma que é necessário conhecer um mercado fundamental no segmento O2O.

No próximo capítulo vamos falar sobre vendas e abordar a história de uma empresa que mudou as relações de *e-commerce* no Brasil.

© Cadu Silva

A parceria do **Peixe Urbano** nas compras coletivas

Alexander Tabor, fundador da empresa Peixe Urbano

capítulo 10

Como um negócio se tornou a nova formatação do comércio *on-line* no Brasil em ofertas específicas. A iniciativa que fez parte das compras coletivas para acabar no *e-commerce*.

O comércio digital evoluiu juntamente com a expansão da internet, mas o fenômeno das compras coletivas estabeleceu uma ponte entre os mecanismos digitais e o melhor custo-benefício de inúmeros varejistas ou prestadores de serviços. E o Brasil não ficou fora desse fenômeno.

Compras coletivas não representam todo o comércio digital, mas foram uma fase importante desse mercado.

Vamos falar de uma empresa que soube "pescar" a oportunidade.

O Peixe Urbano surfou nessa onda e expandiu o setor. Hoje retornou ao *e-commerce* geral depois de impactar o segmento.

A história que vamos contar é a deles.

O CONCEITO QUE CONSAGROU O PEIXE URBANO E SUA REAL UTILIDADE

A ideia das compras coletivas ganhou força nos Estados Unidos a partir de 2008, na internet, com as pessoas buscando ofertas atraentes em plena crise do *subprime*[2]. A reunião de pessoas permitiu praticar preços abaixo do custo para divulgar os serviços. Alexander "Alex" Tabor, um dos fundadores da empresa, resume a ideia: "Compras coletivas é um serviço que se encaixa no mercado O2O porque ele leva o público ao *on-line* visando a consumir uma

---

[2] Esta última grande crise norte-americana foi abordada no capítulo deste livro sobre o GetNinjas.

iniciativa *off-line*. Uma diferença entre compras coletivas e o que a gente faz hoje é que a dinâmica da interação com o produto fez com que fosse uma ferramenta de *marketing*. Basicamente, o Peixe Urbano divulgava produtos com um desconto extremamente agressivo, de até 90%, e a ideia era impactar o cliente. Queríamos mostrar que o nosso serviço era 'tão bom que era difícil de acreditar naquilo, que é real'. Mas era. Era um incentivo para comprar num período muito curto".

Esse mercado consagrou uma oportunidade de adquirir um bem com senso de urgência. Havia um prazo longo de uso do cupom para incentivar a corrida pelas compras coletivas de maneira conveniente para os promotores da ideia. Isso gerou um *boom* de vendas e um tráfego grande na iniciativa *on-line*.

Para Alex, o Peixe Urbano vendia aos comerciantes uma ferramenta de *marketing* eficiente para parceiros sem a preocupação de fazer lucro naquele cupom.

Pode-se perder dinheiro naquela transação para ganhar adiante.

Na promoção se paga muito barato para receber um cliente novo com uma chance de fidelizá-lo por meio da ideia que as compras coletivas dão ao consumidor. É a facilidade, o preço baixo e a tecnologia como uma ajuda. E, como qualquer proposta comercial, o conceito não apresentou sustentabilidade no longo prazo.

Ao longo do tempo, o Peixe Urbano mudou e se tornou mais um canal de venda que adota táticas mais convencionais para que o comerciante faça seu lucro no cupom. "Dá pra dizer hoje que somos um *marketplace* de serviços locais. O que permitiu que isso acontecesse é que, uma vez que a gente estava cobrando comissão suficientemente baixa, e o usuário estava topando pagar com desconto, o que sobrava ao estabelecimento era maior do que o custo do atendimento em si. Ele recebe o que vem do cupom mais o que custa de se fazer uma pizza em si. Além disso, tem sobremesa, bebidas e isso ajuda na viabilidade da operação", complementa Alex.

O ponto de virada para o Peixe Urbano foi quando notaram que o cupom poderia ser rentável, sem ser necessariamente uma ferramenta de *marketing* que vai ser vinculada num período curto. Uma vez que esse tipo de utilidade foi vislumbrada pela empresa, ela não passou a pensar apenas nos preços mínimos e sim nos sustentáveis.

O cupom com promoção agressiva é mais útil enquanto se está pensando num novo prato ou numa nova loja de uma empresa em rede, algo que não é tão regular dentro de um restaurante. "Acabam sendo poucos estabelecimentos que podem participar de uma plataforma dessas", pontua Alex. Ao atingir uma margem de rentabilidade substancialmente boa, os estabelecimentos não têm mais resistência a permanecer na rede Peixe Urbano e querem estar lá. Torna-se um espaço atraente. "A gente faz mais o papel de preencher alguma ociosidade que o estabelecimento tem e formatar a oferta para ser mais agressiva na internet."

Promoções agressivas permanecem na plataforma, mas em menor número.

Diz Alex: "Hoje a gente tem um híbrido. A maioria das ofertas está lá, fica meses no ar, mas às vezes a gente faz uma oferta-relâmpago que gera um novo *boom*. Tudo é de acordo com a necessidade do empresário".

Compras coletivas e *marketplace*[3] são ideais que firmaram o Peixe.

---

3 A maioria dos sistemas retratados neste livro são *marketplaces*, ou mercados digitais, em algum nível. Eles se diferenciam justamente nas ofertas mais ousadas, com custos reduzidos.

O BRASILEIRO COM SOTAQUE AMERICANO

Com raciocínio rápido e uma visão global para os negócios locais no Brasil, Alex Tabor não consegue disfarçar o sotaque gringo[4]. Parece ser uma pessoa que viveu sempre fora do nosso país. No entanto, ao contar a história do Peixe Urbano, ele mostra que entendeu o *timing* para criar o negócio e soube absorver as experiências que teve ao longo da vida.

"Sou brasileiro, mas só aprendi o idioma [português] depois de adulto e o sotaque não sai. Eu me formei nos Estados Unidos, porque fiz faculdade de Ciências da Computação lá na University of Southern California, em Los Angeles. Vim direto para o Brasil e para o Rio de Janeiro. Minha família, no entanto, mora em São Paulo", afirma Alex sobre suas origens. Com três grandes raízes – Califórnia, Rio e São Paulo –, ele fincou as bases para construir negócios baseados no seu conhecimento de Tecnologia da Informação (TI).

Ele montou uma empresa de desenvolvimento de *software*, *e-commerce* e *e-learning* para uma companhia dos Estados Unidos e da Inglaterra. Por volta de 2003, o câmbio era favorável para negócios com foco externo, parecido com o real desvalorizado de 2016. No entanto, a época contava com preços mais em conta, reduzidos, com inflação mais baixa no Brasil.

"Existia margem para negócios do tipo e demanda crescente pra isso, porque ocorreu a bolha de internet dos EUA um pouco antes e as empresas estavam buscando economizar nas despesas de TI. Isso estourou no mundo todo, mas os americanos tentaram cor-

---

4   Expressão espanhola que ganhou popularidade a partir dos anos 1800 no México, expandindo-se pela América Latina.

tar custos naquele tempo. Uma forma de fazer isso foi mandando projetos de desenvolvimento e de manutenção de sistemas para a Índia e somente para lá, porque eles falam inglês e é mais barato. Eu vi o mesmo potencial comercial para fazer algo semelhante no Brasil, pois o fuso fica entre os Estados Unidos e a Europa Ocidental, que são os mercados necessários para o tipo de serviço. Em território brasileiro as pessoas falam inglês."

Alex considerou que pelo menos os programadores falam ou entendem o idioma internacional, além de considerar o território brasileiro como um país mais barato do que os EUA. Era um território a se considerar, embora não tanto quanto a Índia. Segundo o empreendedor, seria possível implantar o que foi feito lá. Mas nunca foi interessante para o Brasil, e ele aproveitou para criar negócios em seu país de origem.

Por ser programador, Alex Tabor afirma que não precisava de capital inicial para começar a empreender em TI. O profissional acreditou que bastava buscar experiência e verificar sua confiança perante os possíveis clientes. Ele também tinha o *know-how*[5] necessário trabalhar com outros programadores e montar boas equipes.

O Peixe Urbano ainda não era sequer um projeto nesse período de trabalhos terceirizados. Os *smartphones* não estavam no radar dos investidores.

O que mudaria a vida de Alex seriam duas coisas: O *iPhone* apresentado por Steve Jobs e a nova era da internet, a *web* 2.0.

---

5   Sabedoria do negócio, termo do inglês. Já foi abordado em capítulos anteriores.

A NOVA INTERNET E AS REDES SOCIAIS

Tim O'Reilly e Dale Dougherty popularizaram o termo *open source* para programas de código aberto[6] e internet 2.0 para uma nova era da rede *on-line*[7] em 2004. O Brasil abraçaria a tendência quase ao mesmo tempo, embora a conexão banda larga fosse uma raridade no país. Demoraríamos cerca de dez anos para ter 100 milhões de pessoas com acesso à internet no país, menos da metade dos 207 milhões que vivem por aqui.

Alex Tabor permaneceu no mesmo negócio até 2007. Ele mudou de segmento conforme o câmbio alterou entre o dólar e o real. Nossa moeda nacional se valorizou.

"Por isso eu vi necessidade de mudar o foco. Ou era trabalhar com o mercado local, que estava indo muito bem na época, ou então fazer outra coisa", frisa o desenvolvedor.

Julio Vasconcellos era então seu amigo e seria o cofundador do Peixe Urbano, mas isso só aconteceria em três anos. No entanto, foi ele que conectou Alex com um empresário que estava interessado em internet e num produto com alcance global. Ele tinha um agregador de redes sociais. Era a onda do momento e a *web* 2.0 entrou de vez na vida dos criadores da aplicação *on-line* de compras coletivas.

Mas existia uma natural barreira que sempre permeia a carreira de quem empreende digitalmente: a concorrência.

Alex descreve: "Na época, existia o Orkut no Brasil, enquanto nos Estados Unidos nós tínhamos o MySpace. Tudo era mais pulverizado.

---

6   *Software* configurável no código principal. Distribuições Linux são exemplos de programas com códigos abertos, assim como o sistema mobile Android.
7   O empreendedor e investidor americano Paul Graham narra a origem dos termos em seu *site* num texto de 2005. Foi acessado em outubro de 2016 – http://www.paulgraham.com/web20.html

O Facebook era menor e cada rede era separada. Essa empresa fez um produto que permitiu ao usuário botar *login* e senha das suas redes sociais diversas num local só. O objetivo era apresentar funcionalidades diversas que eles não tinham ou permitir uma interação que todas as redes tinham com os amigos de todas elas. Isso permitiu misturar as listas de contato. Eu achei animal a ideia e muito provável de não dar certo. Afinal, as redes sociais poderiam fechar por alguns motivos e a busca por interfaces da plataforma que tínhamos poderiam ganhar espaço. Isso de fato aconteceu e negócios em rede têm uma tendência de concentração. Justamente por esse fator, a probabilidade de um produto exatamente assim dar certo era pequena. Mas sempre existe a pivotagem[8], que é mudar o negócio de direção, e eu achei interessante a possibilidade de aprender detalhes de uma operação de uma empresa de internet".

Alex estava certo e o negócio não durou, mesmo com mudanças no direcionamento. No entanto, trazendo a filosofia dos Estados Unidos, fracassos nunca trouxeram desânimo para ele. Se uma estratégia começa a falhar, o executivo muda a direção do negócio rumo a um novo sucesso.

A *startup* de que ele fez parte foi criada para crescimento rápido e chegou a ter milhões de usuários. Na época eles precisavam de investimento quase imediato, porque redes sociais queimam caixa que possuem para colocar seu produto em funcionamento. Os gastos permanecem no tempo de maturação, de acordo com o empreendedor. Mesmo com as dificuldades dadas, o executivo afirma que gostou do desafio ao usar seus conhecimentos de engenharia para desenvolver os sistemas.

---

8   Pivotar é uma prática empresarial de mudança do plano de negócios da empresa.

"Considerei isso mais uma oportunidade de estágio do que qualquer outra coisa. O que eu recebi de dinheiro foi basicamente nada. Tive as contas a receber da equipe e passamos os contratos para outras empresas tocarem os sistemas que a gente tinha desenvolvido", esclarece Alex Tabor. O negócio adquiriu a companhia que era propriedade dele na época para esse tipo de serviço.

Alex saiu da primeira empresa que criou, chamada One Real. Em 2007 entrou no Power.com do Power Ventures. Lá, fez uma carreira restrita mais na área técnica. Ele manteria essa característica até os dias atuais. Ficou mais um ano fazendo serviços nesse segmento.

Das redes sociais e da internet, um voo mudaria os rumos de Alex Tabor.

UMA VIAGEM DE AVIÃO QUE MUDOU TUDO

Alex conheceu o Julio Vasconcellos num avião e conversou com ele numa época em que estava fazendo MBA na Stanford. Na ocasião, Alex Tabor estava na companhia de dois amigos que estudaram com ele num colégio no Paquistão. Ele tinha entre cinco e dez anos de idade quando conheceu o território pasquistanês depois de ter morado na Indonésia.

A experiência de Alex Tabor no exterior não foi apenas em dois países. "Fui até a Índia nos últimos anos do colégio e, de novo, viajei com esses dois amigos estudando comigo. Passaram-se muitos anos e eles foram fazer o MBA com o Julio", informa.

Os dois conversaram naquele fatídico voo. Julio Vasconcellos estava indo estudar em Stanford e tinha interesse na área de internet. O empreendedor já trabalhava na área e tirou várias dúvidas com Alex para manter um contato posterior.

Julio se tornou um parceiro de Alexander a partir daquele momento. Ele apresentou seu parceiro para o empresário da Power.com para que ele cumprisse "seu estágio".

Diz Alex: "Soube sobre escalabilidade de sistema, computação em nuvem e montei o sistema de envio de *e-mails* para uma base de milhões de usuários que nunca tinham recebido antes. Foi um desafio tecnológico dos grandes. Basicamente eu apanhei muito para aprender todas essas coisas. O legal é que eu saí de lá em 2009. O Facebook consolidou o mercado de mídia social como o produto principal. O Orkut deixou de valer naquela época. Ele ia valer o quê? Fazendo rede social. O Power.com não iria para a frente. Por isso eu saí de lá com menos de dois anos na empresa e ficou claro que o produto principal da companhia não iria decolar por causa do Facebook. Eles estavam assumindo todo aquele espaço. No Brasil isso ainda não tinha acontecido naquele ano, mas já estava se armando no horizonte. Ia acontecer".

Fora do emprego, o engenheiro Alex passou a montar uma empresa baseado em seus estudos sobre o iOS, o sistema móvel da Apple no final de 2008. Continuou analisando o sistema no ano seguinte, em plena expansão de um *software* que tinha acabado de abrir para desenvolvedores externos. Ele aprendeu a desenvolver *apps* para *iPhone* e fez um projeto de consultoria no ramo.

Alex Tabor passou a ajudar na criação de aplicativos.

E ele confessa: "Infelizmente naquela época eu não pensei em desenvolver um WhatsApp[9] ou algo assim. Ao mesmo tempo, continuei conversando com o Julio e estava com vontade de voltar ao Brasil depois de morar muitos anos fora. Queria montar minha

---

9   Aplicativo de troca de mensagens na internet que ocupou espaço do SMS, as mensagens pagas com a carga do celular.

própria empresa de internet. A gente não sabia exatamente o que fazer, mas pensamos numa listinha de modelos de negócio que achamos promissores. Alguns outros países estavam desenvolvendo diferentes ações e que a gente achava que se aplicava ao mercado brasileiro. Vários deles poderiam ser chamados de O2O. A gente se viu tendo muito potencial porque historicamente temos serviços *off-line* que funcionam muito bem, mas que não exploram a audiência maciça do universo *on-line*. Isso acontece porque não é a especialidade deles. Eles não compram *AdWords*[10] e tudo é fora da área de domínio deles. Mas é um setor de mais de um trilhão de reais aqui no Brasil, contabilizando os serviços no mundo físico".

A dupla de executivos, naquele voo, já vislumbrava um cenário que a Associação Brasileira O2O, junto da Baidu, enxergaria para o mercado doméstico. Julio, assim como os negócios *Off-line to On-line*, teria uma opinião muito positiva sobre o futuro sócio. Alexander Tabor seria visto como um empreendedor humilde e perseverante nas suas iniciativas[11].

O voo mudaria a vida dos dois. Mas várias questões surgiram.

Qual era o melhor modelo discutido entre ambos? Qual é o jeito de conectar estes dois mundos, o *off-line* e o *on-line*?

Seja qual for a resposta, a dupla via o segmento como valioso para todo mundo.

Julio Vasconcellos, segundo uma entrevista que deu para o *site* da revista *Veja* em abril de 2014, começou a empreender com jardinagem quando era jovem. Desde muito novo, ele sabia gerenciar pessoas, ganhar dinheiro em equipe e buscar os parceiros comerciais

---

10 Sistema de publicidade do Google baseado em termos em seu sistema de buscas.
11 Informação do texto público que Julio Vasconcellos publicou no Facebook sobre seu sócio ao deixar a presidência do Peixe Urbano. Consultado em novembro de 2016 – https://www.facebook.com/juliovasconcellos/posts/10101657789019313

ideais para suas iniciativas[12]. "Eu sempre quis ser empreendedor. Mas tudo mudou no Vale do Silício e em Stanford", diz Julio em diferentes entrevistas, um depoimento similar ao de Alex, mas focado em negócios. Nesse retorno ao Brasil, Julio Vasconcellos esteve próximo da operação de Mark Zuckerberg e do seu Facebook no nosso território diante do Orkut.

"A gente priorizou pelo tamanho de mercado e o valor que ele gera, além da facilidade de se testar", frisa Alex. "Eles listaram modelos de negócios distintos na internet e nós descartamos qualquer um que não gera receita com velocidade." Alex Tabor absorveu suas experiências anteriores para pensar aquele negócio. Tomou precauções extras.

Suas considerações levavam em conta a situação no final da primeira década dos anos 2000, porque o capital brasileiro era muito caro e não funcionava da mesma forma que em outras épocas. Para Alex, não existia algo parecido nos Estados Unidos.

"É justamente por isso que os americanos queimam dinheiro até descobrir qual é o produto certo. Aqui não. Tem que tirar caixa no primeiro dia de trabalho. A gente priorizou esses modelos e sabíamos que qualquer empresa de internet que pudesse surgir precisaria de alguém de negócios e alguém de TI. Criamos uma pessoa jurídica com o nome mais simples, chamada Web Serviços Digitais Ltda., e dividimos 50% de participação para cada um e resolvemos atacar essa lista de modelos de *business*. Queríamos mostrar que o modelo escolhido não iria funcionar. É mais fácil fazer isso do que tentar provar que funciona. É mais simples e você executa para ver qual é o resultado. O primeiro modelo não era como compras

---

12 Dado fornecido aos jornalistas Carlos Graieb e Joice Hasselmann – https://www.youtube.com/watch?v=kCcdejtlWXo

coletivas, mas a gente achou mais rápido e mais fácil testar esse modelo. Tocamos outro."

Alex já tinha os dois componentes necessários para a empresa. Ele se tornou o homem da tecnologia. Julio Vasconcellos era o *businessman*[13]. A primeira iniciativa não foi de compras coletivas.

Os dois criaram um portal de busca para serviços autônomos, como advogados, eletricistas, encanadores e integrantes de um mercado enorme e *off-line*. Alex Tabor fez uma conta simples. Somou os integrantes de todos esses segmentos e viu uma área para trabalhar o meio *on-line* que é gigantesca em todos os setores demarcados no seu levantamento.

"É um mundo também que explora pouco o universo *on-line*."

Julio e Alex criaram um serviço digital que funcionava por indicação dos amigos dos usuários. A empresa viu sucessos iniciais nesse segmento em outros países e decidiu atacar isso num teste.

Alex diz como foi o primeiro negócio com Julio Vasconcellos: "Conectamos um cara que fez um curso de decoração de interiores a um possível cliente. Deu um problema na iniciativa e o cara fraturou o pé antes mesmo de fazer o orçamento. Eu pensei naquele momento o quanto é difícil lidar com esses profissionais no mundo real. Imagina escalar isso para milhares de pessoas e fazê-los prestar um serviço bom? É um meganegócio e alguém vai fazer isso. Será fantástico, mas não seremos nós a fazer isso. Vamos passar para o próximo".

Seguindo a fórmula americana, a dupla mapeou o mercado, criou um negócio, teve problemas e desistiu enquanto era tempo. O *timing* dos dois revelou para cada um que eles estavam no caminho certo, embora ainda não tivessem acertado o tom.

---

13 Expressão inglesa para "homem de negócios".

Depois de uma viagem que mudou tudo, era a hora de Alexander encontrar o *business* ideal com Julio Vasconcellos.

A PESCARIA DO PEIXE DOS CUPONS QUE EXPLODIU NA MÍDIA

O segundo modelo que os dois empreendedores resolveram colocar na prática foi justamente o plano de negócios de compras coletivas.

Julio Vasconcellos e Alex Tabor seguiram um método, pensando já em hipóteses de como aquilo daria errado. A dupla cogitou o caso de as fraudes *on-line* serem altas, além do consumidor ser muito mais resistente a colocar os dados do cartão de crédito dele num *site* que não conhece. Esse era o paradigma do mundo dos negócios digitais em 2010, embora os celulares estivessem em processo de massificação.

Seria um negócio diferente do das Lojas Americanas. O método fugiria do nome de uma varejista conhecida que consegue gerar vendas na internet por meio de sua reputação. Esses estabelecimentos tinham uma facilidade que novas empresas não tinham em conversão.

"Um *site* novo com um nome esquisito como Peixe Urbano teria dificuldade de chegar ao mesmo resultado com os clientes", alega Alexander.

Os nomes guardam informações em seus significados. Não seria diferente de estudantes no exterior ao darem nomes aos seus negócios no Brasil.

Peixe Urbano é uma expressão que se conecta com a imagem de um grupo – cardume – nadando para "explorar o que há de melhor em cada cidade", diz o *site* oficial do negócio[14]. Para Alex, o nome da empresa chama atenção e é fácil de lembrar por ser formado por palavras muito comuns, que raramente eram usadas em conjunto.

"A decisão de dar o nome Peixe Urbano evoca referências visuais e transmite de forma eficiente a missão da empresa. A sonoridade das duas palavras também ajudou a fixá-las e, em pouco tempo, nos tornamos conhecidos em todo o Brasil e referência em nosso segmento. Tanto que dezenas de outros *sites* foram lançados com nomes similares."

Alex e Julio previram uma onda de *copycats*[15].

Eles testaram isso ao verificar planos de negócios possíveis. Na fase de implantação, Alex e Julio perceberam que, se os parceiros tinham aceitação de agregar um desconto grande, eles dispunham de potencial para crescer por meio de um serviço digital inédito para sua área.

Algumas empresas sondadas tiveram resistência ao Peixe Urbano, mas um número grande entendeu o propósito e topou ver se aquela iniciativa com *tickets* funcionava. Além do conceito de compras coletivas, a ideia de vender descontos por cupons pela internet era uma novidade completa para muitos dos envolvidos.

Alex estava realmente verificando se aquele plano de fato funcionava. "Eu e o Julio testamos também se as pessoas estavam procurando esse tipo de serviço *on-line*. Se não houvesse a procura, seria difícil chegar até o nosso objetivo."

O primeiro lugar óbvio para pesquisar esse serviço era justamente nas pesquisas do Google e em outros lugares da rede. Depois, era necessário bater as informações com o mundo real brasileiro.

---

14 Informação no *link* consultado em novembro de 2016 – https://sobre.peixeurbano.com.br/institucional/marca-peixe-urbano/
15 "Copiadores", termo do inglês.

Julio Vasconcellos e Alex Tabor chegaram então ao primeiro cliente possível para seu novo negócio.

"Fechamos as primeiras ofertas com um negócio de arvorismo[16] num local chamado Lagoa Aventuras, ao lado da Lagoa Rodrigo de Freitas no Rio de Janeiro. Achamos bacana a atividade numa área nobre da cidade e era tudo de bom tê-lo no serviço", diz Alex.

Depois do arvorismo, Julio fechou contrato com um restaurante, entre outras ofertas. Os testes ocorreram primeiro no Rio, cidade que os dois fundadores escolheram para morar.

Para a dupla, a capital paulista tem mais programadores e mais profissionais no mercado. No Rio também há esse segmento, porque tem universidades boas, como Universidade Federal do Rio de Janeiro (UFRJ). Entretanto, dentro do meio de internet e *startups*, a concorrência em território carioca é menor, enquanto em São Paulo ela é mais acirrada.

E o responsável por TI do Peixe Urbano explica como era a lógica do financiamento sete anos atrás.

"A gente não tinha certeza de que levantaria um investimento. Falo isso porque quem faz aporte na modalidade de capital de risco, chamados de *venture capital*, correspondia a muito poucos fundos especializados na época que criamos o Peixe. O quadro mudou completamente no mercado brasileiro hoje. Na época não era garantido conseguir isso. Concordamos em botar US$ 100 mil no empreendimento, metade cada um, para financiar o negócio. Era uma renda acumulada de experiências profissionais anteriores. Alocamos esse montante para isso. Vimos que poderia gerar receita e fomos contratando pessoas. Enxergamos um componente comercial muito forte.

---

16   Arvorismo é uma caminhada esportiva em bases instaladas nas copas das árvores.

CAPÍTULO 10 ■ A PARCERIA DO PEIXE URBANO NAS COMPRAS COLETIVAS

É um modelo de negócios que tem um efeito de rede, porque liga os melhores estabelecimentos com cada vez mais usuários comprando em condições favorecidas. Quem entra no grupo de consumidores aumenta o alcance de comercialização com audiência e conversão. É um *two-sided market*[17]. Esse tipo de modalidade e dinâmica só funciona numa determinada geografia de cidade."

E a grande pescaria do Peixe Urbano foi justamente a geolocalização. O GPS virou o melhor amigo das compras coletivas.

Para o Rio de Janeiro ou a zona norte de São Paulo, ambos são irrelevantes como mercado para o cara que roda por Alphaville ou Osasco. A rede de alcance do Peixe está dentro de um país com muitas diferenças de infraestrutura tecnológica. Mesmo com as dificuldades, o cardume de Julio e Alex se expandiu.

Justamente por esses problemas, o desafio de escalar a parte comercial era muito maior dentro do negócio. O Peixe Urbano precisava de pessoas em cada cidade e em cada bairro dentro do território nacional. Não daria para ligar para um dono de restaurante e explicar a venda, um por um, com uma estrutura de *startup*.

No Brasil e na maior parte dos países isso não funciona.

Nos Estados Unidos, talvez isso funcione porque lá eles tentam mesmo errando num plano de negócios. Eles de fato queimam dinheiro, segundo os fundadores do Peixe.

"Nem tenta porque não funciona. Vimos que estávamos com o cara de *business* e o de produto muito bem informados, o que foi o caso do Julio Vasconcellos. Eu, o cara de *tech*, caí de cabeça na cultura da empresa. Precisávamos de uma pessoa para lidar com os aspectos comerciais", afirma Alex.

---

17 Mercado de dois lados, do inglês. No caso: estabelecimentos com promoções agressivas e clientes interessados.

Foi assim que surgiu o terceiro membro fundamental para o sucesso do Peixe. Colega de MBA em Stanford, Emerson Andrade foi um brasileiro que trabalhou na Amway implantando uma rede de vendedores com mais de 10 mil funcionários espalhados por toda a América Latina.

Ele fez muito dinheiro e fez isso rapidamente naquela iniciativa. Trabalharia depois no eBay e, por fim, foi gerente de produção sênior da Microsoft.

Diz Alex: "Achamos, de cara, o cara para montar o nosso comercial. Ele faria de uma maneira veloz a nossa rede de vendedores. Conseguimos convencê-lo a se demitir da Microsoft. Ele vivia a vida do sonho americano, com casa grande e carro grande. Nós o convencemos a vir arriscar com a gente. Daí ele montou toda a área comercial. Ele foi o terceiro fundador e sócio. A gente sabia que a barreira de entrada num negócio desses é muito pequena. Você faz um *site*, caso você não precise de escalabilidade imediata e milhares de visualizações, isso basta. Depois basta fechar algumas ofertas para divulgar para alguém, que conhece alguém, que conhece alguém com estabelecimento... bom, o mundo é pequeno. E tem muito desafio nisso. Daí você compra um *Adwords* e não precisa ser gênio pra isso. A gente entendeu que teria muitos concorrentes em breve que funcionariam disputando com a gente. Então, a gente precisava correr até pelo ponto de não adiantar estar forte somente em São Paulo e no Rio".

A escolha do "cara do comercial" foi fundamental para ambições imediatas que surgiram com a expansão do negócio.

O Peixe Urbano colocou na cabeça que deveria chegar a Curitiba, Recife e a todos os lugares dentro do Brasil. Diz Alex: "Isso realmente aconteceu. Nós fomos para diferentes locais. Lançamos o modelo de negócio e em seis semanas já apareceu outro igual.

De repente começou a pipocar seis no próximo mês e trinta após aquele. E depois surgiram 100. Escalou tudo muito rápido".

Com tantos concorrentes no mercado, o Peixe teve um aliado na pescaria de sorte, a imprensa.

"A nossa presença na mídia foi bizarra. O crescimento de reportagens sobre nossa história foi realmente peculiar. A gente achava que ia pegar bem desde o início e até antes de lançar o *site*. Achávamos legal a ideia porque tudo estava bastante caro no Brasil. Descontos, por favor (risos)!, diziam os brasileiros. E pra entender a mídia, precisamos lembrar daquela época. O mercado não estava tão bom naquela época, no começo de 2010. Se você for lembrar, de 2008 para 2009 foi uma quase recessão brasileira. Diria que foi uma recessão de fato. A China começou a ter problemas por causa dos efeitos da crise norte-americana. Os chineses injetaram um mundo de dinheiro para montar sua infraestrutura e isso puxou aço e matérias-primas que ajudaram a economia brasileira. No paralelo, o Brasil também levantou centenas de bilhões de reais para jogar em projetos de infraestrutura, como o Minha Casa, Minha Vida, entre iniciativas do Lula e da Dilma. Duas fontes de demanda enorme fizeram com que em 2010 a economia disparasse. Foi de 7,6% o crescimento do PIB brasileiro e era a estátua do Cristo do Rio decolando na capa da revista *The Economist*. Antes disso, nós estávamos vivendo a ressaca da recessão. Entrou nesse contexto uma injeção de capital. Nosso negócio iria decolar de qualquer forma porque o modelo de negócio atende bem às demandas do Brasil e aos estabelecimentos", resume Alex Tabor.

OS APOIOS NACIONAIS E INTERNACIONAIS

O Peixe Urbano fez uma aposta certeira ao enxergar que é mais eficiente conquistar um cliente pelo desconto do que você pagar por um anúncio numa revista de avião, como muitos estabelecimentos de luxo fazem. Na visão de Alexander Tabor, o cara que montou a infraestrutura do *app*, esta estratégia não é eficiente. O que compras coletivas fez como ferramenta de *marketing* foi muito mais acurado no nascimento do Peixe. Apesar de ter todas as atenções da mídia tradicional, a *startup* chegou ao consumidor por algo que sensibiliza e mobiliza atitudes: o bolso.

Na visão dos fundadores da empresa, se você está precisando de 100 clientes aqui, o melhor jeito e o mais barato é oferecer cupons de desconto. E eles traçam comparações. É melhor e mais barato do que panfletagem, é melhor do que a caríssima TV e do que muita coisa. No caso do *ticket*, o cliente tem a oportunidade efetiva de conhecer o serviço.

O interessado vai ao local para obter seu cupom na internet e não expõe a marca para quem não está interessado na iniciativa. Com isso a indústria cresceu muito e milhares de concorrentes entraram, criando um mercado que era limitado nas promoções.

O problema do primeiro momento do Peixe Urbano era que seu *business* funcionava com a verba de *marketing* das empresas envolvidas, dinheiro que muitas vezes não existe ou não comporta tais ações. O número de estabelecimentos que precisam de um fluxo alto, novo, é pequeno, especialmente se ele já está com uma clientela fiel.

Alex expressa o ponto em que a proposta saturou: "Um restaurante que acabou de abrir saturou rapidamente no Peixe Urbano. Com isso vimos que o número de concorrentes passou a cair e vimos que o entusiasmo pelo mercado secou. Investidores de capital de risco em geral fogem. Eles não entram muito no detalhe por qual motivo tal negócio não está crescendo. Parou de disparar? Eles saem. Vimos que seria difícil levantar capital em 2012, numa crise que nos afetou. A crise brasileira foi mais do finalzinho de 2013 para 2014. Apesar de não ser tecnicamente uma recessão, também foi e antecipou 2015 e 2016. Com as coisas travando, as empresas seguraram as demissões. Eles cortariam os quadros, se tivessem mais clareza do que estava vindo. O que aconteceu antes da crise foi um efeito da dinâmica do próprio mercado. Saturou. Eram muitos restaurantes novos abrindo para gerar aquele volume de negócios, sustentando concorrência. A gente viu que precisava voltar ao lucro e só podíamos contar com o que tínhamos em caixa".

O homem da tecnologia do Peixe explica como funcionou o fluxo de caixa com investidores, sem abrir os números, que são sigilosos. O Peixe Urbano fechou uma rodada com um investidor-anjo[18] e com empresários que atuaram como pessoas físicas e acreditaram na ideia.

Reid Hoffman, CEO[19] do LinkedIn e um dos fundadores do PayPal, foi uma das pessoas que se envolveram com o Peixe. Entre os fundos, a maior parte da verba veio do Monashees Capital, que era novo no Brasil e tinha um ou dois investimentos em *startups*. Eles aportaram em rodadas de aportes tipo anjo.

"Depois da fundação, crescemos e vimos que existia interesse no setor. Levantamos de novo com o Monashees e com o Benchmark Capital, o mais bem-sucedido *venture capital* do mundo do Vale do Silício. Isso levou a gente até o final de 2010. Em 2011 levantamos

---

18 Investidor de risco.
19 *Chief Executive Officer*, expressão em inglês para presidente.

dinheiro de fundos de *hedge*[20] e *private equity*[21], além de General Atlantic e Tiger Global (TechCrunch), ambas de Nova York. Fechando aquele ano, nós nos aproximamos do Morgan Stanley para conseguir fundos que investem quase tudo em empresas de capital aberto de tecnologia. Uma parte eles investem em outras corporações que daqui a pouco estarão na bolsa. Esse foi o cenário de aportes financeiros", explica Alex.

Com o fluxo de capital, o Peixe Urbano chegou a ter mais de mil funcionários espalhados por seis países. Em 2012, o Peixe voltou a focar na rentabilidade para fazer lucro. A empresa tomou a decisão difícil de vender as operações em outros países: México, Chile e Argentina. Na América Latina a empresa comprou a Groupalia e ganhou presença em outras nações como Peru e Colômbia.

Ao saturar no Brasil, os executivos do Peixe Urbano decidiram focar no nosso país para criar soluções que atendem melhor às necessidades do público local, sem internacionalizar as operações. Eles tomariam uma decisão ousada para uma empresa que tinha crescido daquela forma.

Deixariam, em parte, as compras coletivas.

TRANSFORMAÇÃO NUM *E-COMMERCE*

A alteração de rumo do Peixe Urbano tem uma relação próxima com a crise econômica brasileira.

"Mudamos em 2012 para virar um *marketplace*. Focamos no comércio digital. Como o serviço lida com desconto e ociosidade, ele acaba se beneficiando da recessão, porque o ser humano é um bicho de

---

20 Fundos "de cobertura", que são mais arriscados do que o *venture capital* convencional.
21 Investimentos para empresas não listadas em bolsa, fechadas.

hábito. O empresário age da mesma forma. Daí tem uma operação que tem um fluxo e uma renda mensal. Só quando algo muda é que ele busca fazer algo que não fazia no passado. Nesse cenário a gente é contatada e somos bem-recebidos pelo empresariado. Ele vê que precisa mexer no seu negócio ou está gastando demais em uma mídia que não está trazendo resultado. Do lado do consumidor ele também busca gastar com mais eficiência. É melhor consumir menos do que deixar de consumir. E também há um risco. Se a recessão continua, o consumo vai cair. A gente tem participação maior no mercado no atual estado, o que compensa a sua eventual redução. Mas se cair muito, daí eu acho que a gente cairia também. Por enquanto estamos crescendo muito aceleradamente", afirma o otimista Alex Tabor.

Para os fundadores do Peixe, o negócio no atual formato vende muito mais do que na época das compras coletivas. Os bons resultados vieram numa melhoria da experiência de uso do serviço com os clientes que afetou a rentabilidade dos parceiros.

De acordo com Alex, os estabelecimentos ficam seis meses ou mais antes de fazer algum ajuste no formato dos descontos por cupom.

O Peixe Urbano atua em diferentes categorias, algumas muito amplas que têm muito espaço para crescer ainda. Segundo os dados que a empresa possui, a gastronomia somou R$ 130 bilhões em faturamento em 2015 no Brasil, enquanto todo o *e-commerce* brasileiro é menor do que isso, estimado em R$ 70 bi.

"Ou seja, mesmo ocupando todo esse mercado, ainda não chegaríamos ao potencial de um único segmento que opera no *off-line*. Outro exemplo do quanto podemos crescer, em São Paulo, é na estatística de que em menos de 3% dos restaurantes você pode comprar agora seus serviços numa oferta ativa pelo Peixe Urbano. Na China, um equivalente ao nosso serviço chega a 50% dos serviços de uma localidade. Podemos crescer quinze vezes só em cobertura. A demora nessa expansão é uma questão de custo pra gente fazer uma divulgação. Sempre que você acelerar o crescimento, o ROI[22] marginal pode piorar. Então, você precisará de mais para expandir", indica Alex, mostrando os diversos caminhos possíveis do Peixe Urbano.

O exemplo do território chinês teve literalmente muitos bilhões de dólares de injeção de capital para fazer tudo acontecer. Além deles, os americanos fazem muito isso. "Se você pegar o chinês, multiplique a mentalidade norte-americana por dez", diz o empreendedor. No gigante asiático, a penetração de *smartphone* cresceu e ficou universal em 2013, enquanto o Brasil só conseguiu isso em 2015, com retração dos *tablets*.

O Peixe Urbano surgiu com cupons na *web* e hoje é totalmente *mobile*. Vende mais pelo celular do que no navegador digital. Isso foi crítico para a mudança do modelo de negócio entre os executivos e os forçou a entrar num *marketplace*.

O *smartphone* traz interesse em geolocalização, com um GPS que seja cada vez mais confiável. Esse cenário se desenhou com clareza no mercado na China. Os donos do Peixe buscaram reproduzir a experiência de uso lá com seu nível de excelência em nosso país. E trouxeram *expertise* que eles acumularam nos EUA.

Cliente interessado em comer num restaurante pode selecionar no *app*, pedir a compra e ir ao local mostrando o cupom para o garçom pelo celular. Não é necessário imprimir papel ou agendar diretamente para o estabelecimento. Alex diz: "Esse é um legado das compras coletivas". O Peixe cresceu então para acabar com os empecilhos e melhorar a experiência com o celular na procura de serviços que compensam na rede.

---

22 *"Return Of Investment"*. Ou seja, é o retorno do investimento empresarial.

CAPÍTULO 10 ■ A PARCERIA DO PEIXE URBANO NAS COMPRAS COLETIVAS

Os donos do Peixe Urbano não investem mais em *marketing* do que o necessário. Segundo os executivos, não há a mesma pressão de concorrência que existe na China.

O Peixe cresceu 100% de 2014 para 2015. Alex apresentou os resultados nas reuniões de conselho e, em 2016, o primeiro semestre fechou com crescimento de 50% em relação ao primeiro do ano anterior. A empresa está sendo moderada para não prejudicar sua rentabilidade.

Novos mercados estão no radar da empresa e ela mudou os procedimentos.

Um exemplo: ingressos, antes, eram vendidos e o usuário tinha que ir até a bilheteria trocar por um de papel impresso em *ticket*. Agora os cinemas e as casas de *show* permitem que você leve apenas o cupom do Peixe Urbano que funciona como o ingresso para entrada.

Viagens e hotéis são categorias de atuação do Peixe Urbano desde o primeiro ou segundo mês de operação, entre abril ou maio de 2010. Com cupons, o cliente entrava em contato com o hotel para ver qual data estava disponível.

Hoje o serviço permite configurar data de entrada ou saída em produtos que são mais direcionados para essa categoria sem contato com o hotel. Ou seja, o Peixe ganhou autonomia em mercados e passou a ampliar a qualidade do seu trabalho.

Estética é outro segmento que o Peixe Urbano tem interesse em atuar. "O percentual do PIB das brasileiras que entram nesse segmento não tem igual aos demais no mundo, além dele ser muito específico. É complexo montar um *software* com detalhes de agendamento para mulheres que só podem fazer manutenção em determinados períodos de tempo. A gente não prioriza isso hoje em dia, mas vamos falando com outras empresas que se especializam nisso", explica Alex.

Dependendo de como forem as sondagens, o Peixe pode abrir uma nova frente de trabalho ou propor uma integração com quem for líder de mercado.

"A gente adquire empresas menores, e fizemos isso no caso de agendamento e *delivery* de comida. Chegamos a ter o Peixe Urbano *delivery*, mas vimos que a situação requeria um tipo diferente de abordagem, não tanto de uma criação por nossa parte", complementa.

INVASÃO CHINESA

O escritório da Baidu em São Paulo, gigante de buscas chinesa, fica na Berrini, num prédio corporativo de luxo com vista para a Ponte Octavio Frias de Oliveira, conhecida como Ponte Estaiada. A poucos metros dali fica o escritório da TV Globo na capital paulista. As duas empresas estão na boca da Marginal Pinheiros, que é rodeada de edifícios suntuosos com várias sedes de multinacionais.

Em 9 de outubro de 2014, a "invasão chinesa" se consolidou. Depois de vender bens e focar no lucro, o Peixe Urbano foi comprado pela Baidu. O valor da transação não foi revelado, mas o sistema tinha chegado a 20 milhões de cadastros, considerado um *"shopping de ofertas"*, segundo a mídia na época[23]. Os chineses se comprometeram a investir R$ 120 milhões em três anos.

Os executivos foram conhecer a empresa chinesa em seu país de origem. E confirmaram algumas das visões que tinham sobre o mercado asiático.

Mas essa mudança não foi a única.

---

23 Informação do G1 – http://g1.globo.com/tecnologia/noticia/2014/10/chinesa-baidu-compra-brasileira-peixe-urbano.html

Julio Vasconcellos, fundador e diretor de negócios, passou a contribuir como colunista no *site* da revista *Veja*, da Editora Abril em abril de 2015[24]. Não permaneceu na iniciativa, mas deixou sua marca na imprensa com o sucesso do Peixe.

E a grande mudança ocorreu em 15 de maio de 2015. Alex Tabor, que até então era CTO (*Chief Technology Officer*, ou diretor-chefe de tecnologia), tornou-se o presidente no lugar de Julio, que passou a integrar o conselho da empresa.

"Não consigo imaginar melhor pessoa a quem passar o bastão – no Alex tive um sócio perseverante, humilde, e genial, e nele o Peixe terá um líder nato e visionário que levará a empresa a um patamar nunca antes alcançado. Um abraço forte e meu agradecimento eterno a todos vocês que fizeram parte dessa aventura. Não consigo imaginar um grupo melhor com quem ter compartilhado os últimos cinco anos", escreveu Julio em uma postagem pública no Facebook[25].

A realidade é que Julio Vasconcellos foi uma espécie de "Bill Gates" ou "Steve Jobs" do Peixe Urbano. Era a pessoa certa para vender a ideia de compras coletivas no seu *boom*. Na imprensa brasileira e internacional, ele se tornou o rosto mais conhecido do negócio.

Sob a Baidu, Alex passou a ter uma visão mais crítica, econômica e tecnológica do negócio. O Brasil não era mais a potência do tempo final do ex-presidente Lula e passa por uma grave crise entre Dilma e Michel Temer. Por isso, sua visão pragmática ancorada numa formação norte-americana casa muito bem com o alto poder de negociação dos sócios chineses.

---

24 Joice Hasselmann e Carlos Graieb o entrevistaram na estreia – https://www.youtube.com/watch?v=kCcdejtlWXo
25 Informação consultada neste *link* em novembro de 2016 – https://www.facebook.com/juliovasconcellos/posts/10101657789019313

No dia 27 de setembro de 2016, a gigante chinesa anunciou um fundo de investimento de US$ 60 milhões para pequenas empresas brasileiras em fase de crescimento[26]. Na conversão direta de dólar para real, o valor é equivalente a mais de R$ 200 milhões.

Sintonizados com o *zeitgeist*[27] asiático, o Peixe Urbano não hesitou em se reinventar e lidera o segmento de *e-commerce* O2O, incluindo o nicho de descontos.

---

26 Dado do *site* IDGNow – http://idgnow.com.br/internet/2016/09/27/baidu-lanca-fundo-de-us-60-milhoes-com-foco-em-*startups*-brasileiras/
27 Expressão alemã para "espírito do tempo". Trata-se de uma mentalidade, ideológica ou não, de um conjunto de pensamentos contemporâneos.

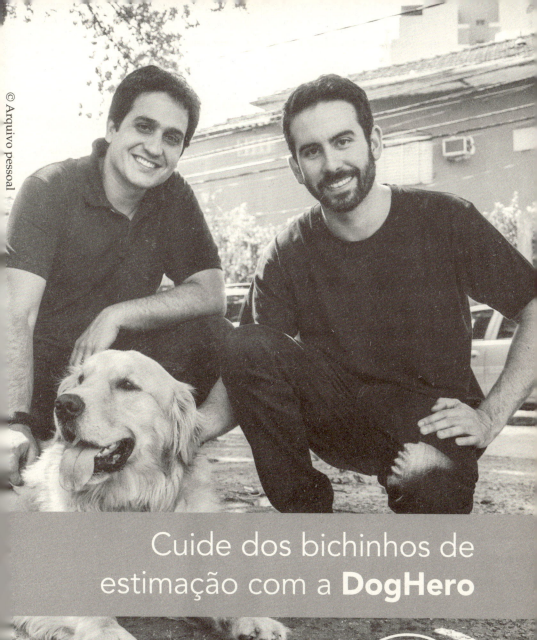

Cuide dos bichinhos de estimação com a **DogHero**

Eduardo Baer e Fernando Gadotti, os idealizadores da DogHero

capítulo 11

A história do projeto para ajudar os *pets*. Descubra neste programa como o seu animal doméstico pode ser cuidado e monitorado via internet, e com serviços acessíveis.

A internet também pode ser um espaço acolhedor para *pets*. Originado de outros serviços O2O, a DogHero veio para auxiliar o mercado voltado para a assistência dos nossos companheiros caninos. Muitas vezes o que seu animalzinho mais precisa é companhia e um teto.

O programa oferece os serviços de mais de 5 mil auxiliares para hospedar o seu cachorro enquanto você estiver em viagens prolongadas. Ou seja, a DogHero cumpre o papel de hotelzinho para o seu cão. E os criadores preveem novas expansões para o mesmo serviço, além de possuírem parcerias que solidificaram um mercado que humaniza esses bichos de estimação.

Conversamos com Eduardo Baer, que foi um dos fundadores da iFood, consultor associado da Bain & Company, além de ter sido integrante da empresa júnior, entre 2002 e 2004, na empresa júnior da FEA-USP.

HOTELZINHO PARA CACHORRO COM PÉ NA INTERNET

"O que a gente faz é a hospedagem de animais. De onde surgiu a ideia? Eu estava nos Estados Unidos, estudando e fiz um mestrado. Ao retornar para o Brasil, pensei no próximo passo na minha carreira profissional. O que eu vou fazer? Pensei também nas minhas questões pessoais. Onde eu vou morar? Vou morar em São Paulo? Vou morar em outro lugar? Uma das coisas que eu levantei com minha esposa foi que eu gostaria de ter um cachorro. Sempre gostei muito desses bichos e pensei nisso assim que tive oportunidade de voltar ao meu país. A vida estava difícil e não tinha como eu deixar o bichinho com alguém. Pareceu que eu ia arrumar um problema com aquela decisão", afirma Eduardo sobre a fundação da empresa.

A DogHero surgiu para a solução desse problema. "Pensei comigo: não é possível que não tenha uma solução para isso." Eduardo Baer começou a conversar com amigos que tinham cachorros no Brasil e todos eles compartilhavam a mesma inquietação. Os bichos não poderiam ficar sozinhos.

No modelo *off-line*, esse tipo de hotel reúne normalmente quarenta cães. O ambiente é desconfortável para os bichos. "Um começa a latir e ninguém dorme, além do bicho voltar depressivo", explica Eduardo sobre o que ouviu de amigos, conhecidos e pessoas que solicitaram os serviços dos hoteizinhos.

A solução encontrada por Eduardo Baer para começar a solucionar o problema seria trazer o modelo O2O para os bichos de quatro patas: colocar os hoteizinhos e seus serviços na internet. Ele replicaria uma experiência similar à que ele testemunhou dentro da iFood.

OS AMIGOS E UM *APP* QUE INSPIROU A DOGHERO

As pessoas consultadas por Eduardo Baer indicaram que é normal deixar o bicho de estimação com amigos e familiares. "Meus pais moram no Recife e eu moro em São Paulo. Não funcionava pra mim. Não conseguia deixar com eles. Tive um amigo que teve um problema anos atrás, quando teve um cachorro, e ele recomendou o uso de um aplicativo para localizar hospedagem para o bichinho. O caso dele funcionou, o cão já conhece quem vai cuidar dele e fica à vontade. E foi assim que ele acabou com o problema dele", frisa.

O programa interessou e era muito parecido com a experiência profissional anterior dele. A onda O2O contribuiu para que ele pensasse num negócio promissor. "Eu fui um dos cofundadores da iFood, um *marketplace* de comida, e eu já tinha trabalhado numa *startup* de economia compartilhada chamada Turo, de aluguel de carros *peer-to-peer*[28]. Pensei em como criar algo para os bichos focado no *on-line*. Eu sabia criar negócios na internet e foi a *expertise* que apliquei nessa nova iniciativa."

No caso do Turo, Eduardo diz que aprendeu a transmitir confiança num negócio de transporte. "A pessoa guia o carro que, para muitos, é um dos bens de maior importância para o uso. Ele fica nas mãos de um desconhecido. Então como você garante que vai dar tudo certo e que não haverá problema? Aqui no Brasil tem muito disso, né?"

Criar confiança foi fundamental para Eduardo Baer.

O criador da DogHero cumpriu alguns passos para solidificar a iniciativa.

Começou a estudar o mercado *pet*[29] no mundo. A ideia era buscar referências para pensar se a ideia de negócio digital pararia de pé no Brasil. Os testes e os exemplos fizeram Eduardo concluir que a ideia iria para a frente sim.

Ao retornar ao país, Eduardo Baer escolheu empreender *full time*[30]. Convocou Fernando Gadotti para se tornar seu sócio e montar o negócio. Gadotti tinha trabalhado na Accenture, Gavea Investimentos e na *startup* Geekie, de educação, na era digital e *nerd*. Os dois aprenderam uma lição da Turo para ser aplicada ao negócio com bichinhos de estimação.

---

28 Expressão inglesa para "ponto a ponto".
29 Palavra para "mercado de bichos de estimação".
30 "Todo o tempo".

"Em hoteizinhos com os *pets*, você está deixando um filho seu para ser cuidado. As pessoas consideram o cachorro como se fosse o próprio filho delas. Como você constrói relações de confiança nesse mundo *on-line* lidando com esse tipo de negócio? Como podem as pessoas confiarem umas nas outras?", pergunta o próprio Eduardo.

A resposta seria encontrada numa característica comum aos *apps* O2O.

O SISTEMA DE NOTAS E OS ANFITRIÕES

Assim como a 99 e muitos outros *apps*, as avaliações deram autenticidade ao serviço da DogHero. Da iFood, segundo o fundador do serviço, veio a inspiração para o produto construído. O desenvolvimento da plataforma *mobile*, que abriga mais de 90% das transações da DogHero, trouxe experiências fundamentais para consolidar o sucesso desse novo projeto.

Muito da aderência ao produto veio das avaliações que os usuários podem fazer juntamente com outras informações. "Você precisa falar com a pessoa antes de tomar uma decisão, conhecê-la para saber se é a ideal para cuidar do seu cachorrinho. Tudo isso é importante para que ela utilize um serviço *on-line* que gera identificação", ressalta Eduardo Baer.

O Net Promoter Score (NPS)[31] é uma métrica que correlaciona com o conhecimento das empresas no longo prazo e envolve os anfitriões da DogHero, profissionais que cumprem o papel de "hotelzinho" do *app* ao acolher seu bichinho para receber cuidados. A facilidade para o usuário é justamente avaliar os serviços ou visualizar as notas antes de contratar a DogHero.

---

31 Em tradução direta do inglês: pontuação de promoção na rede. É uma ferramenta da internet.

Caso o usuário dê 9 ou 10, o aplicativo será considerado um promotor de sua ideia, segundo os criadores. As notas entre 7 e 8 têm efeito neutro. Seis ou menos é um consumidor que age como detrator do produto. "Se você pega o percentual de promotores e subtrai o percentual de detratores, dá uma nota média. A nossa nota é 97. Isso tem ajudado muito a gente", complementa Eduardo. "A gente tem uma vantagem que é muito consumidor apaixonado pelos animais. Pessoas que adoram e que amam os bichos. A DogHero foi nessa onda para criar uma rede de anfitriões para atender seus animais de estimação e mantê-los seguros numa situação de viagem. São cerca de 5.500 funcionários que temos num serviço que funciona muito bem para que as pessoas deixem seus cachorros. O anfitrião cuida, leva para passear e há um sistema de avaliação que recomenda ou não esse serviço para seu amigo ou colega."

INVESTIMENTOS, CRISE ECONÔMICA E FUTURO

Nada se faz sozinho, ainda mais em negócios *on-line* que exigem um raciocínio em rede. Fernando Gadotti foi o cofundador da empresa quando a DogHero foi pensada nos Estados Unidos. Ele surgiu para ajudar a construir o negócio e estava fazendo o mesmo curso com Eduardo Baer nos EUA. "Perguntei se ele topava embarcar 'neste barco' e voltamos juntos ao Brasil para estruturar tudo. Fizemos juntos um MBA em Administração de Empresas na Universidade de Stanford, na Califórnia", frisa o criador.

Se o seu desejo pessoal em adotar um animal não existisse, o *app* provavelmente não o teria envolvido numa iniciativa de total investimento de dinheiro e tempo.

Sobre a captação de recursos, o fundador não revela detalhes numéricos, mas dá um panorama depois de colocar uma ideia no papel, testá-la de maneira simples numa prova de conceito até levá-la para uma rodada de investimentos. De acordo com Eduardo, as reuniões envolveram grupos internacionais e gente que ele já conhecia em trabalhos anteriores.

"Não foram familiares e nem amigos muito próximos. Eram pessoas com algum relacionamento profissional que apostaram no serviço. Isso aconteceu em agosto de 2014. Ao voltar ao Brasil, busquei o *know-how*[32] da Kaszek Ventures, que nos ajudou, e fizemos um segundo *round* com a Monashees", completa.

O dono da DogHero afirma que a crise econômica no Brasil afetou relativamente pouco o seu setor. Ele acredita que os efeitos foram suaves porque ele ainda é um serviço pequeno. Ao aprofundar sua reflexão sobre o atual período do país, Eduardo acha que é diferente quando você é uma corporação gigantesca, porque o mercado começa a afetá-lo muito mais. O *app* ocupa uma fatia pequena que abre espaço para crescer entre inúmeros programas digitais. "Eu tenho muito mais capacidade de execução do que o desempenho da economia. Acho que as pessoas, mesmo com a crise e tudo mais, continuam gastando com seus *pets*, querendo bons cuidados para eles e acaba que, no final do dia, a promoção com o anfitrião é mais barata do que deixar no hotelzinho tradicional", diz o empreendedor otimista.

E é justamente no preço que o aplicativo sai na frente. Para Eduardo Baer, as pessoas estão abertas a experimentar novidades do mercado, porque o preço do hotel pesa no orçamento total. Em média os serviços da DogHero são 40% mais baratos. Ao todo, a empresa tem vinte funcionários diretos para gerir um negócio de 5 mil clientes.

A meta é se tornar um grande *player* de *pet service*.

---

32 Expressão inglesa para "conhecimentos específicos para feitura".

Os criadores da DogHero vislumbram algumas possibilidades dentro desse nicho: uma ideia seria atender outros animais, considerando que eles focam em cachorros e há inúmeros gatos domésticos como demanda que não são corretamente atendidos. O serviço também poderia se desdobrar em creche, treinamento, banho e tosa, além de *dog walker*[33].

A empresa também pensa numa saída internacional, porque está focada no Brasil e há oportunidades em diferentes países e há como alcançá-las. São três vias de evoluções possíveis para o *app*.

Há justificativa para os gatos ainda não serem atendidos. No caso dos cuidados com os felinos, eles fogem com muita facilidade dos anfitriões, segundo Eduardo. O cachorro é mais próximo das pessoas e o que ele mais precisa é de companhia, no caso de donos que queiram viajar. O gato tem um apego maior ao local físico. Diante do anfitrião, corre-se o risco de ele fugir. Há também a questão de comunicação, porque a linguagem para cachorro não é a mesma de gato e vice-versa e isso lida com o nome da empresa.

Diz Eduardo Baer: "A gente ama os gatos e queremos atendê-los, mas vamos fazer uma coisa benfeita antes para depois criar mais. A oferta para gatos precisa ser diferenciada. No entanto, apesar de não ter o serviço, o nome CatHero já está devidamente registrado, caso eu queira atender novos bichos. Vale esse crescimento para a gente".

Eduardo se encantou tanto com sua criação, que acabou se tornando um dos anfitriões da plataforma da DogHero. Atualmente sua empresa tem uma parceria com a Pet Log, de *petshops*, além da marca de ração Ultima, da Affinity, que é europeia e fez ações de mercado com o aplicativo de cuidados com os bichos de estimação.

---

33 Andador de cachorros. É a designação em inglês para a profissão.

Internet *Heroes* que surgiram, e os que virão

capítulo 12

> O que podemos aprender com todas as histórias deste livro? O que há de comum nas histórias destes empreendedores, incluindo bom *mentoring*, capital, bom controle de custos e persistência nas dificuldades? A possível conclusão segue nas demais páginas.

Neste livro, você pôde saborear onze histórias de onze empresas e das pessoas que contribuíram para o seu surgimento e florescimento. De experiências arriscadas até *insights* que resultaram em ideias estáveis, é possível compreender que o segmento *on-line to off-line* não obedece regras preestabelecidas de outros mercados. Ele cria padrões próprios e se diversifica conforme as necessidades dos potenciais consumidores.

Podemos dizer, sem exagero, que as histórias aqui são heroicas ao seu modo. Não se trata de fetichizar[34] as experiências das pessoas que retratamos nestas páginas e nem imaginá-las como únicas possíveis na história. Mas elas dão excelentes referenciais para começar a compreender este mercado, os rumos que estão embutidos nele e como ele se tornará parte de nossas vidas, tanto no Brasil quanto já é no mundo todo.

Há algumas lições que podem ser aprendidas em histórias que facilmente se desdobram em alguns temas.

---

34 Fetiche é uma expressão de origem francesa que se refere a um objeto ou agente com capacidade de "enfeitiçar" quem o enxerga.

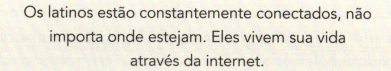

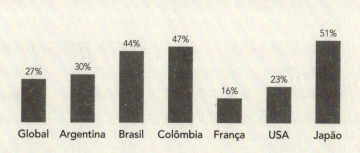

Fonte: TEC Global Monitor 2014

INVESTIMENTOS TRANSFORMAM NEGÓCIOS

Na apuração das histórias, é possível perceber que há iniciativas que surgiram no momento correto, mas demoraram para decolar por não estarem no radar de investidores. Outras ideias, como a TruckPad, ficaram sendo gestadas com cuidado antes de se tornarem empresas de fato.

E a rota do dinheiro transforma, de fato, ideias digitais em negócios com mensuração física.

Enquanto os investimentos não crescerem de maneira mais massiva para o segmento O2O, ainda veremos muitos negócios *off-line* com capacidade de milhões de consumidores sem uma digitalização mínima. E colocar esses empreendimentos na tela de um *smartphone* é multiplicar a sua possibilidade de lucro e faturamento.

O ser humano tem um relacionamento mais íntimo e solto de convenções sociais com o computador. Na máquina, ele é capaz de fazer solicitações fora do horário comercial, conferir preços e buscar o modelo ideal de negociação. E o modelo pode ser ganha-ganha com o empresário interessado em inovação.

Ele oferece um serviço mais barato e o consumidor ganha, se ele estiver bem localizado em seu radar.

Empresa como a 99, que começou na área dos taxistas, possui uma capacidade real de crescer nos transportes em geral e competir com globais como a Uber. A Loggi é capaz de tornar a logística de uma cidade como São Paulo mais eficiente e precisa. O HelpSaúde torna o atendimento médico mais preciso no caso de doenças raras e pacientes com necessidades imediatas.

Mas tudo isso só se tornou possível graças aos fundos que se interessaram pelas ideias. De acordo com os fundadores do Peixe Urbano, havia poucos investidores no cenário nacional.

Hoje, só em São Paulo, há pelo menos cinco que viabilizam o segmento O2O. Boa parte deles está retratada neste livro.

O MEDO DE FALIR SUSTENTA NEGÓCIOS

Diferente da época da "bolha da internet", em que negócios insustentáveis eram sobrevalorizados por investidores, em 2010 o O2O enfrentou sérios riscos de falência e adversidades econômicas no Brasil.

A iFood quase faliu antes de ser adquirida pela Movile. O Peixe Urbano saiu das compras coletivas quando viu que o seu momento de maior expansão tinha passado. E nenhuma das empresas entrevistadas ou listadas neste livro descartou a hipótese de venda para outros grupos corporativos pela saúde dos seus negócios.

O pragmatismo e o medo da falência ajudam a sustentar negócios neste novo Brasil que é descoberto pelo universo O2O. O idealismo de uma *startup* dá espaço a empresas que conhecem o mundo real do país.

AS TENDÊNCIAS DE CONSUMO DIGITAL SEGUNDO A KANTAR

A Kantar, empresa do grupo de publicidade e relações públicas inglês WPP, publica levantamentos sobre o consumo e a audiência na internet com parcerias estratégicas importantes, como o Ibope. Atualmente a companhia emprega mais de 30 mil pessoas e atende mais de uma centena de países com seus levantamentos.

Kantar Futures, Kantar Health – Evidências, Kantar Ibope Media, Kantar Millward Brown, Kantar Retail, Kantar TNS, Kantar Vermeer, Kantar Worldpanel e Lightspeed são alguns de seus produtos. Ao fazer levantamentos sobre *e-commerce* no Brasil, a entidade traça um futuro sobre a atividade digital no país.

A instituição divulgou dados sobre os consumidores com exclusividade para este livro.

Sebastian Codeseira, diretor da Kantar Futures no Brasil, escreveu sobre as características dos consumidores da região da América do Sul e como o nosso país se posiciona.

Os latino-americanos estão constantemente conectados, não importa onde estejam. Eles vivem suas vidas através da internet. No Brasil, 44% dizem acessar constantemente a internet para qualquer coisa, em qualquer lugar.

Mesmo com essa vida mais digital, as relações pessoais são muito significativas para a vida dos latinos, pois nove em cada dez latino-americanos dizem que o relacionamento com os amigos e a família é importante em suas vidas. Além disso, 60% deles passam tempo com a família e os amigos como uma forma de melhorar sua qualidade de vida, mais do que a média global (54%).

As relações pessoais são muito significativas para a vida dos latino-americanos

9 entre 10

90% dos latino-americanos concordam com a importância do seu relacionamento com familiares e amigos.

60% dos latino-americanos dedicam seu tempo em atividades com a família e os amigos para melhorar seu bem-estar, versus 54% em média no mundo todo.

Fonte: TEC Global Monitor 2013

CAPÍTULO 12 ■ INTERNET HEROES QUE SURGIRAM, E OS QUE VIRÃO

É por isso que na América Latina a tecnologia e a conectividade estão associadas tão fortemente a relacionamentos e pessoas: 69% dos brasileiros dizem concordar que a internet é um meio para ajudar a manter contato com pessoas que pensam parecido com elas, ou para fazer amigos.

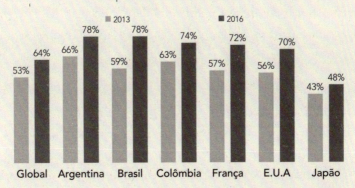

Mas é por isso que eles também precisam "ficar *off-line*", já que os relacionamentos virtuais nem sempre são suficientes para eles, que buscam mais o contato frente a frente.

"Para mim, às vezes, é importante me desconectar do universo *on-line* e das comunicações móveis" (juntamente com aqueles que acessam a internet)

	2013	2016
Global	53%	64%
Argentina	66%	78%
Brasil	59%	78%
Colômbia	63%	74%
França	57%	72%
E.U.A	56%	70%
Japão	43%	48%

Fonte: TEC Global Monitor 2016

Por considerar os relacionamentos pessoais importantes, os latinos em geral tendem a buscar momentos off-line, já que os relacionamentos virtuais não são suficientes para eles. Dessa forma eles buscam estreitar as relações - entre 2013 e 2016, mais brasileiros estavam preocupados em buscar momentos de "desconexão" (de 59% para 78%).

Ao mesmo tempo, percebemos que os compradores (também conhecidos como shoppers) *passaram a comprar de uma forma mais "social", fazendo mais buscas, se informando e pedindo recomendações dos amigos.*

O gerente de soluções da Kantar TNS, Rupak Patitunda, afirma que o consumo dos brasileiros está vinculado a uma mudança de hábitos que aponta para uma nova forma de lidar com a mídia. A televisão e o jornal impresso estão dando espaço à computação, em *desktops* – aparelhos de mesa – ou *smartphones*. Rupak também elenca categorias indispensáveis na escolha de serviços digitais.

Os dados do Connected Life da Kantar TNS mostram que os jovens (16-24) passam mais tempo com seus dispositivos (celulares, tablets, computadores) do que consumindo mídia tradicional. Essa migração oferece uma oportunidade para empresas e serviços atingirem seus consumidores potenciais pelos meios digitais.

Existe uma diferença entre as categorias sobre a disposição de engajamento do internauta com as marcas pelos meios digitais. Marcas na categoria de viagens e cosméticos, por exemplo, estão em uma posição melhor na propensão de interação pelo consumidor via meios digitais do que marcas de bebidas alcoólicas, por exemplo. Por um lado, essa diferença na predisposição do consumidor é fator importante a ser considerado no delineamento das estratégias digitais das marcas. Por outro lado, algumas categorias oferecem mais oportunidades de crescimento a longo prazo no digital que outras, já que as opções de interação de determinadas categorias ainda estão por ser exploradas.

Na análise da Kantar TNS, entendemos que cada país se encontra em um dos quatro estágios de desenvolvimento do e-commerce *– acesso (onde problemas de infraestrutura são os principais fatores que limitam o* e-commerce *nesses mercados), confiança (que caracteriza mercados* *onde o comércio eletrônico é limitado pelas preocupações quanto à segurança das transações desse modo), experiência (onde problemas de tempo ou custo de entrega e o risco do produto avariado limitam a expansão do* e-commerce *nesses mercados) e opção por preferência ou preço/escolha (estágio mais avançado, em que há poucas ou nenhuma barreira percebida ao* e-commerce *nesses mercados e o consumidor trafega mais livremente entre um canal ou outro, escolhendo o meio da compra mais pela disponibilidade do produto ou preço oferecido). Hoje, o Brasil está no terceiro estágio (experiência), onde as pessoas ainda preferem comprar no* off-line *para garantir a qualidade dos produtos. Espera-se que, com a evolução dos serviços locais e de apoio do* e-commerce, *o país caminhe para o próximo estágio de evolução (preço).*

Isso fica bastante perceptível nas conversões de categorias diante da pesquisa na internet. Em produtos de higiene, 10% das pesquisas on-line *se convertem em compras; já na categoria viagens, 83% das pesquisas são convertidas em compras.*

Mostra-se que no setor de cuidados pessoais há uma grande oportunidade de crescimento, se for possível superar as barreiras atuais, como a falta de confiança na origem ou qualidade do produto, a preferência por tocar o produto antes de comprar, o imediatismo do consumidor e os altos custos de entrega.

EVOLUÇÃO POSSÍVEL

Abordamos neste livro o consumo de bens perecíveis, transporte urbano, transporte de carga, serviços de auxílio doméstico, agendamento de consultas na saúde, moda, beleza, cuidados com animais de estimação e até hospedagem em viagens turísticas. Embora o Kantar perceba nos seus levantamentos que serviços como a venda de cervejas em bares ainda não esteja na mira do consumidor por *apps* e na internet, mais negócios nesse segmento são possíveis.

On-line encurta distâncias, poupa custos e aumenta a eficiência.

O que é necessário para uma maior expansão do setor é um mercado mais acolhedor, com menos barreiras tributárias para empresas em crescimento e mais possibilidades de financiamento. Ideias originais, com capacidade de serem copiadas no mundo todo, podem ser lançadas pelo prisma do O2O.

O2O, a conexão real entre mundo virtual e real.

Em uma economia que enfrenta uma forte crise de raiz no consumo e nas turbulências políticas, os negócios da internet têm potencial de diminuir gastos desnecessários e corrigir a rota de um país no seu todo.

Das estradas até o pedido de comida na sua casa, o Brasil precisa de mais "heróis digitais" com capacidade de resolver os seus gargalos.

É disso que tratou este livro, ao expor as onze histórias presentes de sucessos e superação no nosso mercado.

As histórias de outras pessoas podem ajudar a clarear quais serão os futuros empreendedores de um setor com capacidade de chegar a R$ 1 trilhão.

Agradecimentos

Para que todos saibam quem nos ajudou nesta jornada na busca dos Internet Heroes e nas definições do mercado O2O. Todos os citados aqui e as instituições ajudaram a tornar este livro uma realidade.

Primeiramente agradeço a minha mãe, Sandra Regina Zambarda de Araújo, por ter sido a minha primeira leitora crítica e por ter me incentivado a ser um jornalista crítico e incisivo.

Dedico todo este projeto a ela.

Também sou profundamente grato ao jornalista Felipe Zmoginski, gerente de comunicação e *marketing* da Baidu, que me convidou a escrever sobre as maiores empresas O2O e contribuiu decisivamente para a seleção de cada uma delas. Felipe e a também jornalista Valéria Campos organizaram o material inicial para que eu fizesse todas as entrevistas, levantamentos e pesquisas necessárias.

Na minha formação dentro do jornalismo de economia e negócios, com uma passagem frutífera que tive pelo *site* da revista *Exame* de mais de dois anos, agradeço a Renato Santiago e Sandra Carvalho. Os dois editores e os inúmeros profissionais que encontrei no melhor *site* do segmento no Brasil me deram as bases para escrever este livro.

Também sou muito grato aos editores Paulo e Kiko Nogueira, que trabalham comigo em outros segmentos no *site* Diário do Centro do Mundo (DCM), por terem sempre me incentivado a ser um repórter melhor. Eles deram dicas preciosas de reportagem que utilizo na criação deste livro, inclusive na concepção do texto.

Por fim, agradeço a Paulo Zambarda de Araújo e José Roberto de Araújo, meu pai e meu irmão, que tiveram paciência com o meu isolamento para conceber todo o trabalho. E também a minha amada

Rafaela Aquino, que foi paciente comigo e com as inúmeras noites viradas cuidando da decupagem de horas de entrevistas com todos os processos necessários neste trabalho.

Jacqueline Lafloufa, editora brasileira da Kantar, me ajudou a ter acesso a uma das instituições de pesquisa mais respeitáveis do mundo, que hoje atua em conjunto com o Ibope. A empresa pesquisa diversos temas, de audiência na internet até *e-commerce* e negócios O2O. Graças à companhia eu pude dar um arremate no texto.

Agradeço também à Baidu, à Associação O2O e à Geração Editorial que tornaram este trabalho possível, personificada nas figuras competentes dos editores Willian Novaes e Luiz Fernando Emediato. E a todas as empresas que nos concederam entrevistas, documentos, relatos e informações sobre um mercado que realmente se tornará trilionário com as mudanças na economia brasileira.

O interessante é pensar no longo prazo, visualizar oportunidades imediatas e traçar planos, sem ter medo de mudar de ideia.

Pensar global e agir local.
É meu mantra para o O2O e para o Brasil.